U0164853

香港屏山古建築裝飾圖鑑

馬素梅

目錄

「《屏山古建築裝飾圖鑑》把屏山古建築群的結構、形態、裝飾，
巨細無遺地展示出來，奠定了研究香港傳統民居建築的里程碑，
同時使文物建築的價值和文化傳承有更深層次的展示。」

龍炳頤 FHKIA, FRICS, Hon HKIP
香港大學建築學教授、羅旭龢夫人基金教授 (建築環境)

紅日當窗花絢錦

「馬素梅博士羅列香港傳統中國建築的結構、形制和裝飾的例子，
以圖文並茂，深入淺出的方法，
讓讀者認識和體會香港本土文化、傳統工藝及民間藝術。
我們從傳統中，看見自己民族文化的傳承脈絡；
從歷史建築中，認清自身處於浩瀚歷史時空下的相對位置。」

林社鈴
香港建築署高級物業事務經理(文物保育)
香港大學建築系文物保育課程榮譽副教授

「馬素梅是一位被公認為嶺南建築屋脊裝飾的專家，
《屏山古建築裝飾圖鑑》是專為讀者而寫的，
雖同為專家學者所寫，卻能兼顧學術與閱讀趣味。」
李浩然博士
香港大學建築文物課程主任

前言

全書分兩冊，第一冊是《香港屏山古建築裝飾探究》，重點在對香港屏山五所古建築的總結和分析。本書《香港屏山古建築裝飾圖鑑》是第二冊，是一本圖典。主要研究香港屏山鄧族五所古建築的裝飾，這五所建築包括鄧氏宗祠、愈喬二公祠、述卿書室、覲廷書室及清暑軒等，都是屏山最優美和保存得最好的建築，而且各有特色。

本書內容豐富，包括以文字簡述各古建築的歷史及興建者的背景，建築構件的名稱、定義；裝飾的位置、內容細節、題材及象徵意義等；也嘗試釐清鄧氏族人與裝飾內容提及的人脈關係。書中涉及的所有裝飾都附有相關照片，包括遠攝和近攝的圖像，圖文並茂，使讀者更容易觀察瞭解各裝飾的實況及文化意義。

這五所建築內的全部裝飾，都有系統地收錄在本書中。這些裝飾的圖文，是按人們進入建築的次序方向編排，使參觀者可以一面觀賞，一面尋找書中答案，在觀賞時容易找到實物作對照。另外，本書也收錄了一些常人難得一見，屬於不向公眾開放的古建範圍，或位於私人住宅內，又或散落於其他地方的裝飾構件，實在彌足珍貴。有了這些圖片和文字紀錄，讀者可更全面地認識屏山的古建築裝飾文化。

書中圖片清晰，編排有序：多達千多幅的建築照片，見證了屏山古建築裝飾在歷史長河中遺留至今的面貌，也是香港歷史軌跡的印記。日後古蹟研究者，可據此作延伸研究，文物復修者亦可按此恢復其歷史面貌，使文化得以傳承。

本書是香港少有針對特定古建築裝飾研究的專書，所涉學術範圍甚廣，有建築、歷史、繪畫、書法、雕塑藝術、戲曲、服飾、古典小說、神話故事、家訓、楹聯、曆法稱謂、詩詞、風俗習慣等等……不一而足。古建築乃一個跨學科的文化寶藏，是極佳的通識教材。本書的出版目的是擴闊人們的視野，讓人不再只關注建築實體，卻忽略它的文化內涵。

建築結構及構件

建築結構

庭院、進

「庭」，根據宅院的規模和布局而構成；「院」，是房屋圍牆以內的空地；「進」，是沿着前方繼續延申的意思。宅院的第一個建築稱為「一進」，是整座建築的第一景觀、又是予外界的第一印象，古人對這十分講究，因此這處的裝飾亦特別華麗。通常主人會在院落的第一進迎接賓客，所以又稱為門廳。「進」數量的多寡，受房屋主人的社會階級規範，如鄧氏宗祠的興建者，因有官階，故可以興建三進的房子；而其他建築，如覲廷書室，則只可以按例興建二進的房子。

正廳

是民居建築組群的主體，通常位於建築最後一進中央的廳堂，是祭祀祖先、供奉神明的地方，在這裏多安放神龕。

建築構件的位置方向

中國傳統建築所指的方向，稱為「座向」，一般是以在建築內面向大門而言。

前簷廊式

大式的建築。屋簷凸出房屋前面，成為較寬敞的柱廊道，常見斗栱出挑。

凹壽式/凹斗式

房屋的入口處內縮，呈現凹凸變化，營造有層次的空間。

迴廊

有頂的通道，通常位於建築主體的四周。

廂廊

是迴廊與廂房的混合體，有通道的作用和廂房的外貌。前後有迴廊門，迴廊門沒有門扇。兩側有圍牆，向天井的牆上設有漏窗，這一堵牆有些是密封的，有些是開了門洞的。

建築構件

1. 地台

甬道 在大型宅第院落間，中軸線上鋪設的路，多以磚石砌成。

台階及垂帶 在建築物入口處，以石塊砌成的「踏步」。受傳統的規範，台階級數以奇數為陽、偶數為陰，位處中軸線上的台階多為奇數，在兩側迴廊的多為偶數。台階級數的多寡顯示建築物的地位，因此，鄧氏宗祠三進正廳的台階為七級，二進按此遞減，即五級。覲廷書室二進，只能有五級。位於台階兩端的石塊稱為垂帶，一般為斜三角形，屏山所見的有長方彎角形、如意雲形和鼓形等。

2. 屋頂及牆

硬山式屋頂 屋頂有前後兩面坡，兩側山牆封砌至屋頂，屋頂並不飄出山牆之外。

正脊 房頂兩坡面瓦交滙的封護處，作用是防止雨水滲入。屏山所見的有兩款，一為像船形的翹角脊，另一款附有博古紋裝飾的平直正脊。

正脊墊點 是翹角脊兩端以下的小型裝飾。

垂脊 屋頂前後兩坡在坡面兩側向下垂的屋脊。

山牆 建築物兩端的立牆，上端像山形。

山尖和山花 硬山式山牆上端呈三角形的部分稱為「山尖」，在這位置的裝飾稱為「山花」。

博縫 原本是指懸山或歇山式屋頂兩際凸出的人字形木板，這構件有封護和裝飾的作用。屏山的建築例子皆為硬山式，這裏是指與歇山式建築相同位置的硬山式屋頂構件。

墀頭 硬山式建築中延伸超出簷柱之外的山牆，靠近屋簷的部分。

墀頭角柱 一般是指墀頭下端靠近地面的石柱。可見於述卿書室的山牆轉角，即墀頭及其下方均採用石柱，因此定為「墀頭角柱」。

封簷板 也稱掛簷板或簷口板，是屋簷下的扁長形木板，這木板塗上了防水物料，作為保護屋瓦下木構件之用。是中國南方建築常用的一種構件。

簷牆 位於建築物的前後簷處，用磚或石砌成的牆。

隔斷牆 又稱隔間牆，是指與山牆平行的室內隔間牆。

扇面牆 是指與簷牆平行的室內隔間牆。

3. 門窗

中國人對入口的大門十分重視，門的大小與階級觀念相扣。作為宗族建築，鄧氏宗祠的大門較覲廷書室的宏偉得多，尺度較大，裝飾也較豪華和富氣派。

屏門 安設在大廳中間位置的室內門，日常多不開啟，有屏蔽作用。在鄧氏宗祠及愈喬二公祠的二進和覲廷書室一進都有六扇屏門，人們須由屏門兩側出入，但覲廷書室的兩側屏門日常卻有開啟。亦有本地學者稱之為「二門」。

隔扇門 格扇是一種較為講究、精巧、細緻的門扇，兼具分隔空間和裝飾的作用。隔扇門通常均是活扇，可以隨時根據需要卸下或安裝。一般四扇為一間，每扇上下共分四段，首段為頂板，次為格心(隔心)，中為腰板(縧環板)，下為裙板，外有邊框(李乾朗，2003，105；王效清，2007，433)。覲廷書室和清暑軒都有優美的隔扇門可供欣賞。

腰門 高度及腰的柵門，通常向外開啟，白天開大門時，可關上腰門。覲廷書室大門的門框中段仍留有小門臼，相信原有腰門的設置。

月門 又稱月洞門，是圓形的門洞，常用在圍牆或庭園上，作為空間界定的作用，象徵圓滿。鄧氏宗祠和清暑軒都有實例。

拱門 又稱「拱券門」、「券門」、「員光門」、或「彎光門」，是指用磚石砌成的半圓形或弧形的門洞，拱券門的邊沿常有雕刻裝飾，清暑軒內夾雜了中西風格典型的例子。

門鈸 也稱「鋪首」，是拉攏門扇的金屬構件，門鈸的主體多製成獸首銜環狀，傳說是龍生九子中好閉的「椒圖」。王效清(2007，423)認為獸首是從青銅器上的獸面銜環耳演變而來，圓環的設置可以方便開關及叩門。

門枕石 位於中央大門兩側的石塊，是穩固門柱的構件和承托門扇轉軸之用。

連楹 大門門楣內側的橫木，兩端鑿出上門臼，以安裝門軸。有時中央鑽數個圓孔，稱「連楹榫眼」，配合地坪上的方形「直門眼」(林會承 (1995，107) 稱為「伏兔」)，可以插入立門 (直栓杆)，加強防衛性。由於古人相信天是圓的，地是方的，所以分別製成兩種不同形狀的榫眼。

門簪 串聯門楣與連楹的榫件，以穩定連楹。因狀似女子用的髮簪插入門楣，故名。由於凸出門楣的部分常雕成方形或圓形，並且飾有篆刻吉祥文字：「詩」、「禮」、「福」、「祿」、「壽」、「喜」等字樣，所以又稱「門印」。宮室一般多用四只，民宅多作兩只。鄧氏宗祠及愈喬二公祠均有實例可供參考。

門柱及線腳 門柱即門左右的立柱，即門框。建築物轉角處的裝飾稱為線腳、線板或起線。述卿書室的門柱線腳還雕刻了獸首，增強美感。

門額 指門楣上所懸掛的匾額，也有固定式作法。民宅大門或正廳上的門額多題上建築物的名稱或堂號，有些則刻上源自古書的雋語，如「明月、清風」、「蘭香、桂馥」等。可參考覲廷書室的例子。

橫披 於門與屋頂間安裝固定的一排橫向窗子，通常沒有可開啟的窗扇，只有透雕的裝飾，具有採光和通風的作用。

漏窗 有通風與遮掩作用的通花窗，香港所見的多為瓦件，大多用於庭園。

4. 構架

柱 垂直支撐樑架的構件，按截面形狀可分為圓柱、方柱、六角柱和八角柱。

簷柱 建築物最外用作支撐簷口的一列支柱。

角柱 位於建築物的轉角處，山牆兩端的立柱。

金柱 在建築物內部中央最主要的立柱，以承擔屋頂中央部分的荷載。

瓜柱 騎在兩層樑架之間的小矮柱，用以支撐屋頂，而且不落地。一般較鄰近的柱子粗，多雕成瓜形。清暑軒的瓜柱展示了另類的題材。

柱礎 又名「柱頂石」。在下方承托立柱的石塊，原本是用來防止木柱受潮的構件，後來柱子改用石材，因此柱礎只具固定柱子和裝飾之用。埋於台基之內或地面下的部分多為方形，上面露出的部分稱為「古鏡」，通常雕刻成素覆盤、蓮花或仰覆蓮花形等。南方建築喜用較高的鼓狀石墩，稱為「鼓蹬」。鼓腹上還刻有花草紋樣(王其鈞，2008，39)。

樑架 指傳統建築中以木構件組成，作為抬起屋頂的屋架。分穿斗式和抬樑式兩種。

穿斗式 因以橫樑穿過柱子的榫洞而得名，部分柱子直接頂住檁子或不落地面。屏山各古建築的迴廊多採用這種樑架方式。

抬樑式 利用疊斗與栱頂，把水平的橫樑與垂直的柱，架成階梯狀，由下層樑承受上層樑的重量，以支撐屋頂的架構。

斗栱 「斗」與「栱」是兩種分佈在柱子上端和樑枋上的構件。斗是一個立方體的構材，栱是水平和弓形的枋材，二者的結構組合，可把屋頂的重量穩定地傳遞到樑柱上。

額枋 連接兩柱間的橫木稱為「額枋」或「簷枋」，宋代稱「闌額」。在房屋內柱間的叫「屋內額」(王效清，2007，317)。

隨樑枋 按進深連貫兩柱間的橫木，功用與「額枋」相同。

穿 是聯絡兩柱間的輔助構件。因為是穿插在兩柱之間的連接木，所以稱之為「穿」。穿沒有承載重量的功能。

穿插枋 連接簷柱與金柱之間的短樑，通常位於抱頭樑之下，並與之平行，以增加勾搭力。

樑頭 又稱「樑首」，指樑與柱相交出挑的一端。多製成像一團雲朵的麻葉頭款式。

挑簷石 原本是硬山建築墀頭上端向前方挑出的水平石條構件，用作支撐屋簷的重量。從覲廷書室的例子可見，除了山牆兩側的挑簷石外，在大門兩側的隔斷牆上也加插了鰲魚形的挑簷石，以承托簷口中央的重量。

駝峰 又稱「柁墩」，位於兩樑之間，起分散結點荷載的作用。題材多為雲卷頭、荷葉墩或其他雕花。屏山的述卿書室、覲廷書室和清暑軒，都有大量戲曲題材的例子，展現了華南建築的一大特色。

雀替 在樑與柱交角處的三角形構件，用來強化結構，防止變形。清式雀替的雕刻較為複雜，裝飾味濃，喜用蜿蜒的曲線外形及透刻圖像；題材多為卷草、花卉和吉祥動物。在較狹窄的廊子中，跨在兩根柱子間的兩個雀替便連接在一起，成為「騎馬雀替」。

樑托 位於樑枋與柱子的交接處，在樑枋兩端之下，向上支托起樑枋。

花罩 用於室內，位於樑枋下，具有裝飾和分隔空間功能的構件，大多施用透雕。形式多樣，分為「飛罩」(罩身不至地面)、「落地花罩」(裝飾部分延至地面)、「隔扇式落地罩/隔扇罩」(即飛罩兩側有隔扇)和「八角罩」(罩的中央為八角形)等。

＊本書所述建築的左右方向是指從建築內面向大門而言。

鄧氏宗祠

屏山古建築裝飾題材

圖1-1：鄧氏宗祠一進前

建築沿革

一所宗祠的建築規模、尺度和裝飾會受族人的多寡、社會地位的高低、財力的厚薄、歷史的長短等因素影響，展現截然不同的面貌。鄧氏宗祠位於屏山坑頭村，有關它的創建年代，學者意見不一。

屏山鄧氏族裔鄧聖時根據該族的公產紀錄和各祖房參與祭祖的資料考證，認為屏山鄧氏宗祠應為屏山第一傳鄧元禎的第五傳孫鄧馮遜所建。該祠在春秋二祭時張貼的門聯，除了讚揚屏山立村祖鄧萬里外，也歌頌先祖「閩侯」的功德。按鄧聖時的解釋：鄧馮遜是元朝福建方伯(方伯是諸侯之首)(族譜亦有記載鄧馮遜任福建方伯之事)，故有此內容（鄧聖時，1999，40-41）。現在安放在三進神龕上最高位置的三個大神主牌有粵派鄧氏的第一世祖「宋承務郎太始祖」鄧漢黻，兩側的是「宋一世祖」鄧元禎和「宋二世祖」鄧萬里。「元福建方伯五世祖」鄧馮遜的神主牌位於第二層近中央位置。神龕上擺放各代的神主牌約有124座之多，最晚期的至清廿三傳，可見鄧族悠久的歷史和子孫繁衍的情況。

歷史悠久的中國古建築，大多經過多次修葺或重建，現在所見的鄧氏宗祠，也許與始創時的面貌不同。葉祖康（1982，17）認為現在的鄧氏宗祠建築具有明代建築風格，這一點還有待專家進一步考證。鄧氏宗祠於1989至1991年間由屏山鄧萬里祖堂斥資重修。有關重修的紀錄，鄧氏宗祠一進前的壁畫有以下題字：「甲子夏六月」及「己巳春三月」。按中國清代或以前的慣例，年代資料必須冠上皇帝的年號，如在述卿書室的匾額上便有「同治十三年」的鐫刻，因此，部分壁畫應是民初以後之作，即該宗祠曾於「甲子」年(1924年或1984年)及「己巳」年(1929年或 1989年)重修。相信所寫的「己巳」多是指1989年。神龕上的題字顯示它是在辛未年(1991)製成。

鄧氏宗祠在2001年被列為法定古蹟。現時該宗祠仍作祭祖和聚會之用，間中亦有舉行婚宴。至於點燈儀式或太平清醮這一類活動，近年已甚少舉行。

建築結構

鄧氏宗祠的空間佈局：鄧氏宗祠是三進兩院式及中軸對稱的建築。三進均面闊三開間，山牆為尖頂式，山面使用山牆承重。第一進的正面為前簷廊式，即正門不是直接設在簷部，而是門前有簷廊，簷廊的次間設鼓台。兩次間的簷廊後均設廂房，背面三間皆開敞。第一進樑架結構為十五檁硬山式，前抬樑五步架中磚牆後抬樑雙步架混合式，即前抬樑部分使用五部樑、四部樑、三部樑、雙部樑及單部樑；一進後只有雙部樑和單部樑。樑上置駝峰及重栱，檁下置一斜向三角木構件輔助固定椽子。三間均設木簷枋，簷枋上有駝峰，簷枋下有雀替。第二進為十五檁硬山式，前後三步樑，主樑為九架樑，樑下有雀替。第三進為十九檁硬山式，前抬樑六步架後磚牆混合式（林尚智，2008，41-45）。第一進簷廊上有一對花崗石簷柱及柱礎和一對紅砂岩角柱及柱礎，一進後有一對花崗石簷柱及柱礎，第二進有八根柱子，第三進有二根柱子。樑架下方的穿插枋，在穿過石柱的榫口後凸出柱面少許，成為草龍或卷草形的樑頭。全所建築的樑架都呈棕色，沒有敷彩。硬山式屋頂，有翹角形正脊及垂脊。大門沒有門檻，但在門框下的兩側，有上下兩對可套入橫木的榫口，據村民的解釋，是用作插入橫木，以阻隔牲畜進入祠堂。門框上下沒有作為安裝直栓杆用的圓形連楹榫眼和方形伏兔。台階方面，一進有三級，二進有五級，三進有七級，可見建築的階級是由外向內逐進遞增的、按禮制規範，九階為皇帝專用，民居最多只可有七階；同時，位於中軸線上的台階定為單數，兩側廂廊通道處的台階則應是偶數。一進院中有紅砂岩甬道(據說是由於建祠者鄧馮遜為一品官，按法規可享有紅砂岩甬道（這一點還有待考證）。第一院沒有廂廊，第二院設有廂廊，作為連接二、三進間的通道。

鄧氏宗祠和愈喬二公祠前面均有四組功名石，是為了紀念屏山廿一傳鄧勳猷於道光丁酉科(1837年)高中武舉人而設立。

圖1-2：鄧氏宗祠平面圖

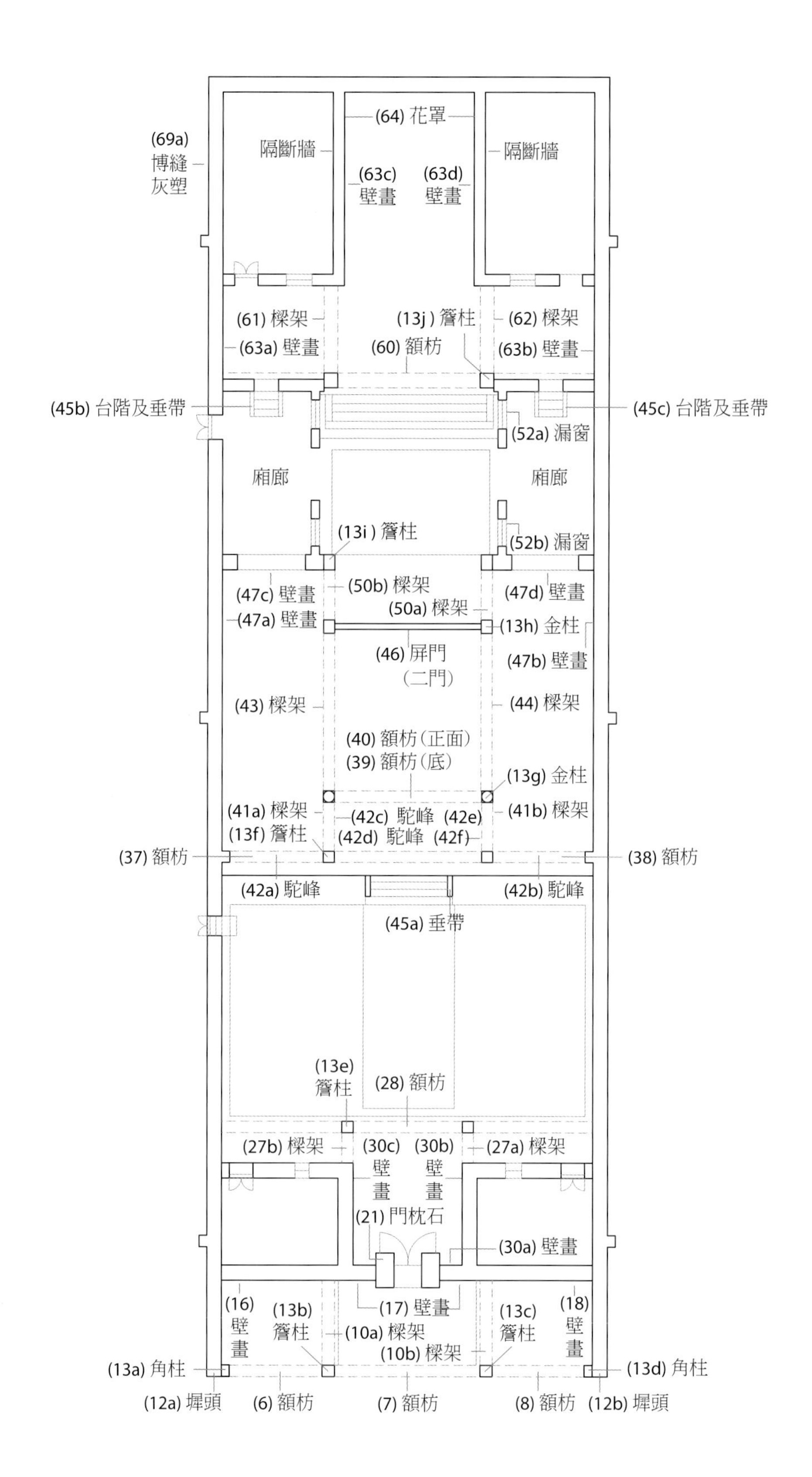

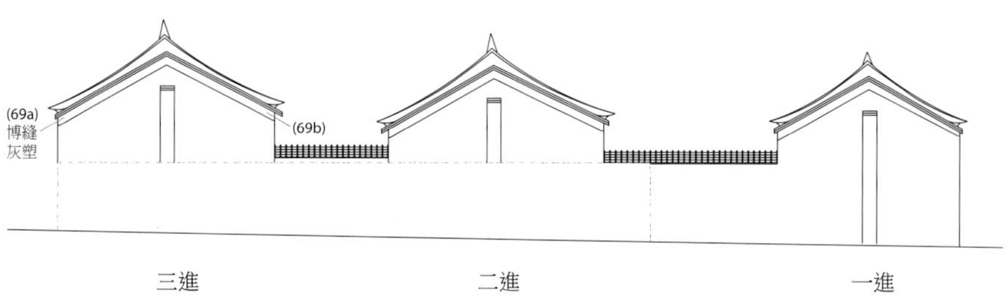

圖1-3：鄧氏宗祠側面圖

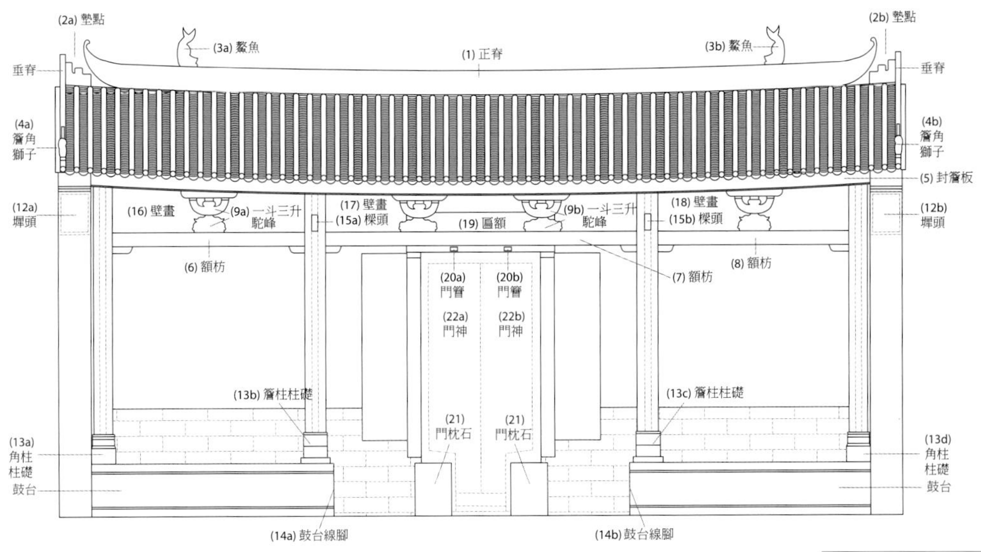

圖1-4A：鄧氏宗祠一進前正立面圖

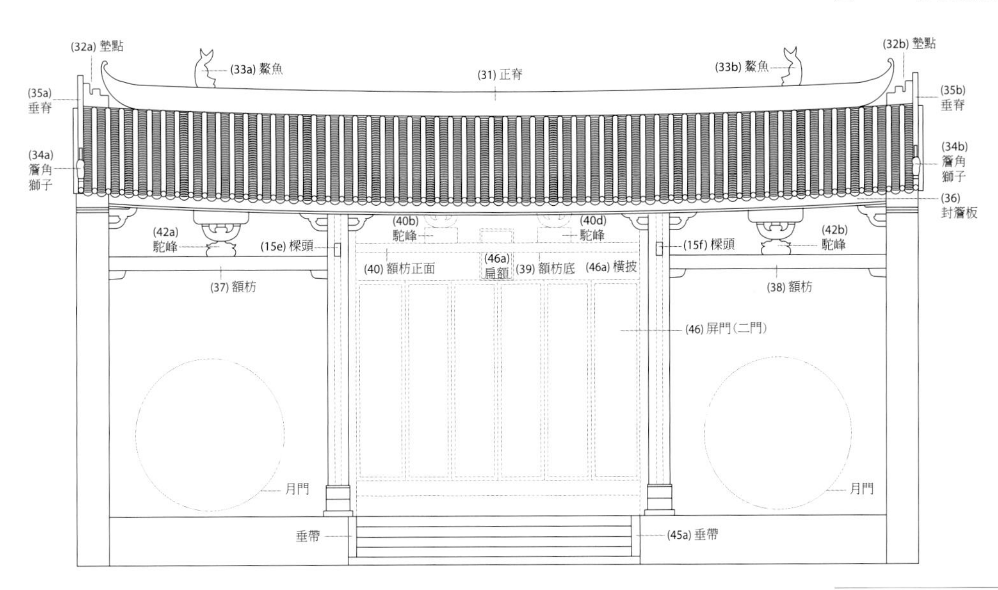

圖1-4B：鄧氏宗祠二進前正立面圖

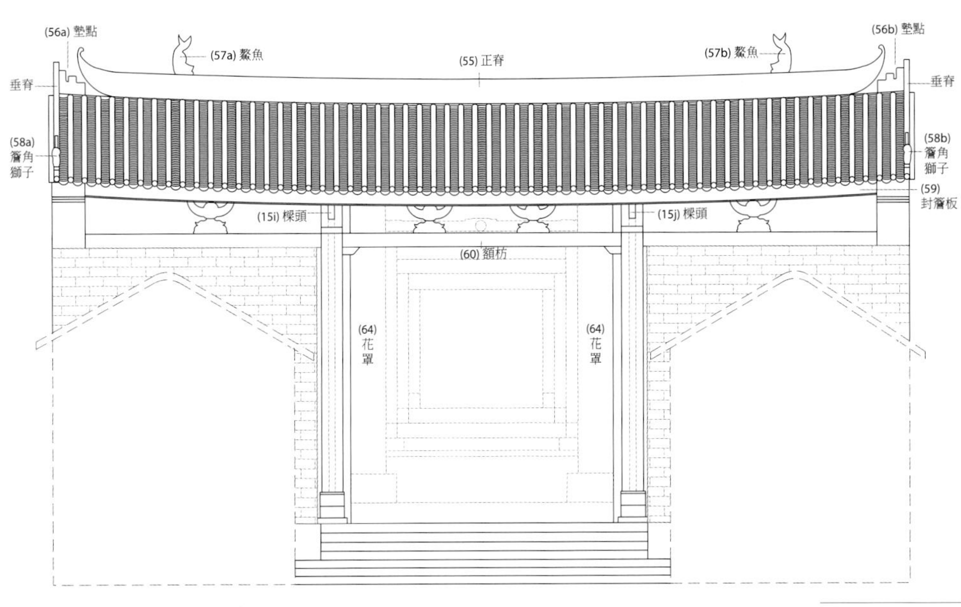

圖1-4C：鄧氏宗祠三進前正立面圖

＊圖中有括弧的編號為各構件的位置編碼，這些編號將列於相關文字敘述的前端，以便讀者瞭解其分佈實況。

圖1-5：鄧氏宗祠一進前正脊

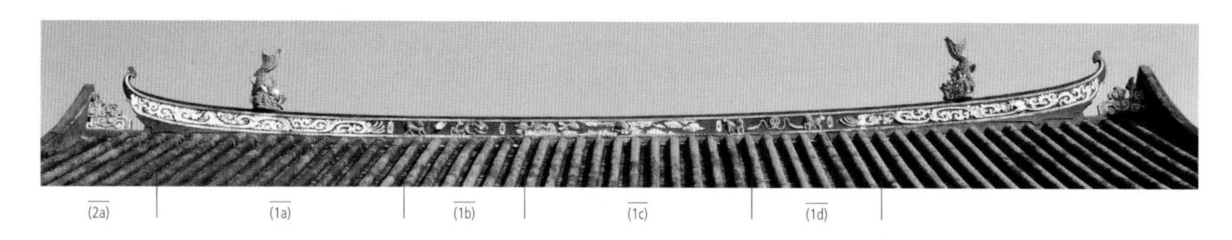

1　正脊（一進前）

翹角形正脊，亦稱船形正脊，多為宗祠、住宅等採用。

1a　正脊灰塑 (一進前)

卷草/蔓帶 (白色)，底 (黑色) (象徵子孫世代綿長)；正脊末端為卷浪形。

1b　正脊灰塑 (一進前)

分隔用的花紋、獅子、飛鳥、海馬、蝙蝠、分隔用的花紋。

海馬(九品武官)，獅子(二品武官或太師)(參閱覲廷書室壁畫)，即是由九品武官晉升至二品武官或太師的職位，象徵「步步高昇」或「加官晉爵」。

1c　正脊灰塑 (一進前)

鯉魚、海浪、正在轉變的龍形、祥雲，寓意「鯉躍龍門」。

「鯉躍龍門」：傳說大禹治水，以鬼斧把山崖鑿開(豁口稱為「禹門」)，以疏導洪水。居住在黃河中的鯉魚被沖至下游，不能回家。為了鼓勵鯉魚逆流而上，玉帝下旨，若能躍過龍門之鯉魚可以變身成為龍，於是有「一登龍門，聲價十倍」之說(完顏紹元、郭永生，1997，22)。「鯉躍龍門」比喻在科舉考試中，可以「金榜題名」，「登科及第」。

1d　正脊灰塑 (一進前)

分隔用的花紋、獅子、紅色金錢 (繫繩，有穗，兩端分別導向獅子)、獅子、分隔用的花紋。

由獅子傳(錢)至獅子，象徵「官帶傳流」，即能世代連續成為二品武官或太師。

圖1-6：鄧氏宗祠正脊末端墊點

2a　墊點（一進前右）

24a　墊點（一進後左）

博古、如意紋（象徵「吉祥如意」、世代連續不斷）。

32a　墊點（二進前右）

49a　墊點（二進後左）

石榴（象徵多子）。

56a　墊點（三進前右）

66a　墊點（三進後左）

蝙蝠（紅色）（象徵「鴻福齊天」）。

圖1-7：鄧氏宗祠鰲魚

3b　一進前左

3a　一進後右

33a 二進前右

33b 二進後左

57a 三進前右

57b 三進後左

鰲魚 (龍頭鯉魚身) (象徵一朝顯貴或水性吉祥物)。

鄧氏宗祠的所有鰲魚都採用同一款式，都是龍頭，有角，頭在下方，尾向上翹，魚尾以兩面泥塊貼成，後面可看到作支撐的橫條。根據葉祖康(1982，17)及香港政府新聞處(1979，65，圖2)所示，鄧氏宗祠的一進及二進在該書出版前均沒有鰲魚脊飾 (後者(圖3)，相信具有鰲魚的建築應是愈喬二公祠所有)。現在鄧氏宗祠上的鰲魚，應是1980年代以後加設的。

圖1-8：鄧氏宗祠簷角獅子

4a　一進前右

25a　一進後左

34a　二進前右

50a　二進後左

58a　三進前右

67a　三進後有左

全部簷角獅子都是同一款式，身體綠色，頭上長有一角(是石灣陶獅的特色)，大耳(部分雙耳已毀)、獸爪，張口，口含綵帶，頭向中央，一腳踏球，另一款為一腳踏幼獅。前者為雄性，後者為雌性(作用是辟邪鎮宅)。

圖1-9：鄧氏宗祠瓦當 (70) 及滴水 (71)

瓦當 (70a) 及滴水 (71a) (一進)

瓦當：中央：壽字；上下：蝙蝠；
外圈：回紋(象徵「福壽雙全」)。
滴水：中央：壽字；左右：蝙蝠；
下：如意(象徵「福壽如意」)。

瓦當 (70c) 及滴水 (71c) (二進後右廂房)

瓦當及滴水：牡丹花(綠色)(象徵富貴)。

圖1-10A：鄧氏宗祠一進前封簷板

圖1-10B：鄧氏宗祠一進前封簷板

5a 封簷板 (一進前)

博古(藍色)、書本(象徵「書香世代」)；如意、海棠花/柿蒂(象徵「如意在堂」/「事事如意」)；蝴蝶、牡丹花、飛鳥、二蝴蝶、二蝙蝠、蝴蝶、海棠花/柿蒂、壽桃(象徵富貴、「多福多壽」)。

5b 封簷板 (一進前)

上升的祥雲(象徵「青雲直上」)、二獅子(象徵官祿、昇官)、瓜(象徵「瓜瓞綿綿」、多子)、蝴蝶、牡丹花(象徵富貴)、倒轉蝴蝶(象徵福到)、蝴蝶、瓜。

圖1-10C：鄧氏宗祠一進前封簷板

5c　封簷板（一進前）

瓜(象徵「瓜瓞綿綿」，多子)；如意、花籃、牡丹花(象徵「富貴如意」)；二蝙蝠、上升的祥雲(象徵「福自天來」、「青雲直上」)；豆(象徵多子)。

5d　封簷板（一進前）

二綬帶鳥、牡丹花(象徵「長命富貴」)；一幅卷軸，上書「福、壽、祿」(象徵「福壽祿全」)、牡丹花(象徵富貴)、二綬帶鳥(象徵長壽)。

5e　封簷板（一進前）

佛手柑、二蝙蝠、祥雲、官扇、壽字牌、山茶花、拂塵(象徵神仙)、瓜(象徵「福壽祿全」及有神仙庇佑)。

5f　封簷板（一進前）

牡丹花、蝴蝶、蝙蝠、蝴蝶、祥雲、喜鵲、石榴 (象徵富貴、多福、多子、喜慶)。

5g　封簷板（一進前）

祥雲(象徵「青雲直上」)、二獅子 (象徵多祿、昇官)；一幅卷軸、壽字牌、海棠花、松鼠、蝴蝶、瓜、博古 (象徵多福(多子)、多壽)。

圖1-11：鄧氏宗祠一進前右門額枋

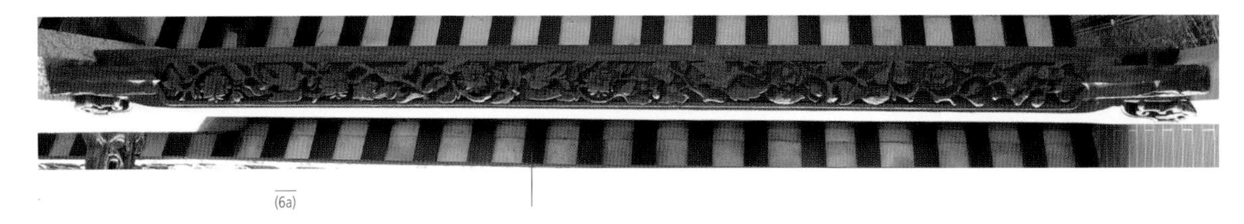

燕子、海棠、燕子、芙蓉花(象徵榮華)、長咀鳥、芙蓉花、長咀鳥。

6a 右門額枋 (一進前)

圖1-12：鄧氏宗祠一進前中央門額枋

7a 門額枋 (一進前中央)

二綬帶鳥、月季花(象徵長壽)；鴛鴦、蓮花、蓮蓬(象徵「鴛鴦貴子」)、蘆葦、鳳凰、芙蓉花(象徵「一路榮華」)、太陽(象徵「旭日初昇」)；(象徵「長命富貴」、「丹鳳朝陽」)。

7b 門額枋 (一進前中央)

芙蓉花、鳳凰、海棠、二仙鶴、玉蘭花、寶相花 (象徵「榮華富貴」、「雙鳳朝陽」、長壽)。

圖1-13A：鄧氏宗祠一進前左門額枋

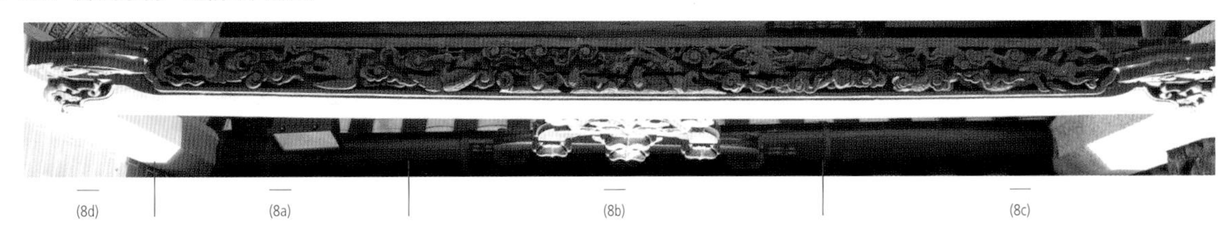

圖1-13B：鄧氏宗祠一進前左門額枋

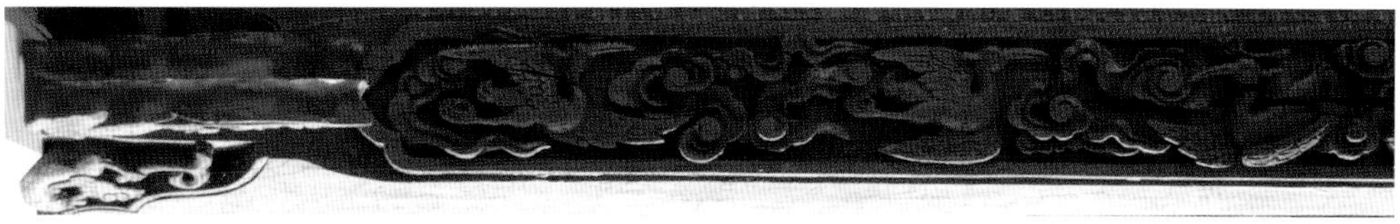

8a　三仙鶴、祥雲。

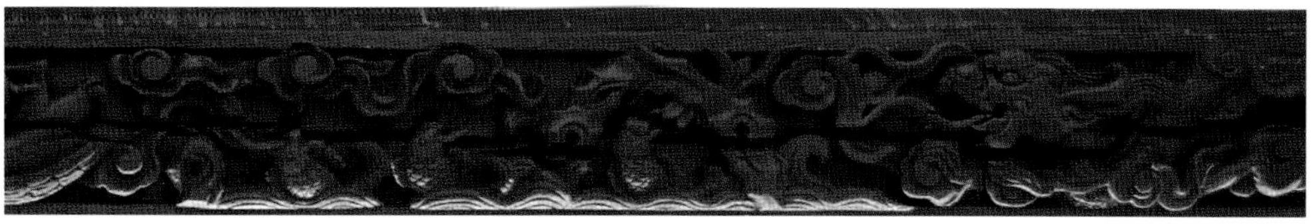

8b　二鯉魚、禹門及魚化龍。

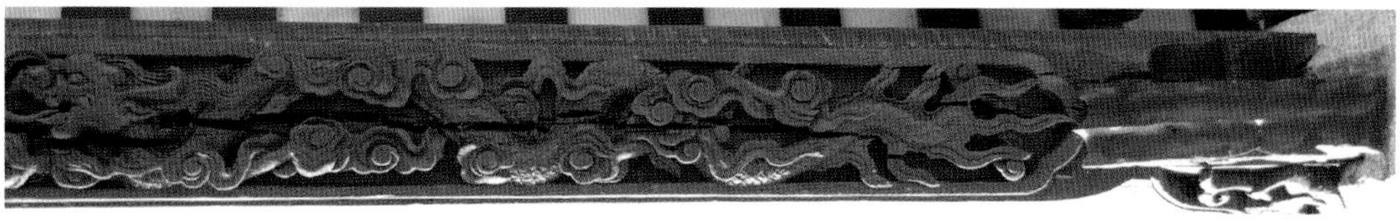

8c　一行龍、祥雲。

象徵「官居一品」；「鯉躍龍門」，一朝顯貴，飛龍在天。

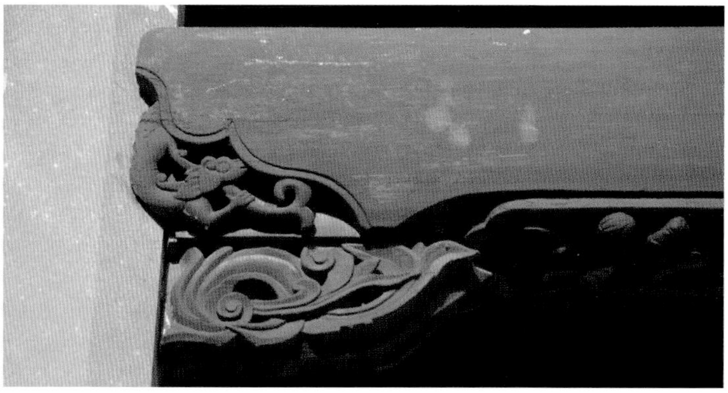

8d　額枋末端及樑托

草龍及卷草(象徵子孫世代綿長)。

圖1-14：鄧氏宗祠一進前門額枋上駝峰及一斗三升

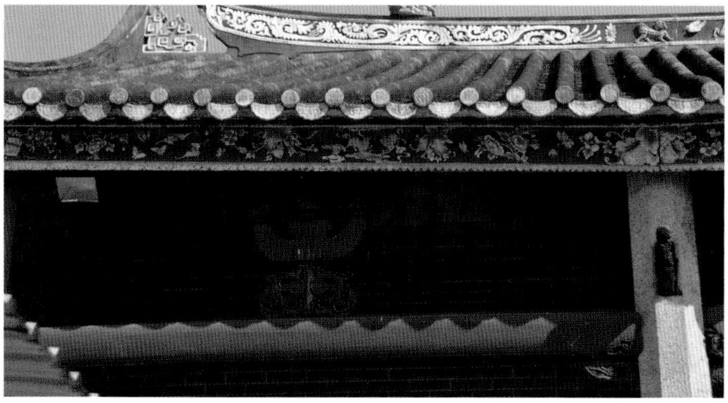

9a　駝峰及一斗三升 (一進前右門額枋上)

圖1-15：鄧氏宗祠一進前樑架

10a 右樑架（一進前）

上三層：花葉，底二層：二喜鵲、玉蘭花（象徵福(子孫世代綿長)、壽、喜)。

圖1-16：鄧氏宗祠一進前最底樑架穿插枋

11a 右穿插枋

喜鵲、梅花(象徵「喜鵲登梅」/「喜上眉梢」)。

11b 左穿插枋

二喜鵲、石榴、玉蘭花(象徵多子、喜)。

圖1-17：鄧氏宗祠一進前墀頭

12a 右墀頭灰塑（一進前）

麒麟、石上有書本、繫繩(有繐)(象徵「麟吐玉書」，有賢能的子孫)。

圖1-18：鄧氏宗祠柱及柱礎

13c 左簷柱柱礎（一進前）

二層八角

13d 左角柱柱礎（一進前）

蓮花座、下八角

13e 右簷柱柱礎（一進後）

蓮花座、下八角

13f 右簷柱柱礎（二進前）

二層八角

13h 左金柱柱礎（二進後）

圓柱、下八角

13i 右簷柱柱礎（二進後）

二層八角

13j 左簷柱柱礎（三進前）

蓮花座、下八角

圖1-19：鄧氏宗祠一進前鼓台線腳

14a 鼓台(一進前右)

轉角線腳：圓柱形；平面：凸長方塊，弧形凹角。

圖1-20：鄧氏宗祠樑頭

15a 右樑頭 (一進前)

可能是草龍
(損毀 難以辨認)

15d 右樑頭 (一進後)

如意祥雲/麻葉頭

15f 左樑頭 (二進前)

卷草/回顧草龍

15h 右樑頭 (二進後)

卷草

15i 右樑頭 (三進前)

如意祥雲/麻葉頭

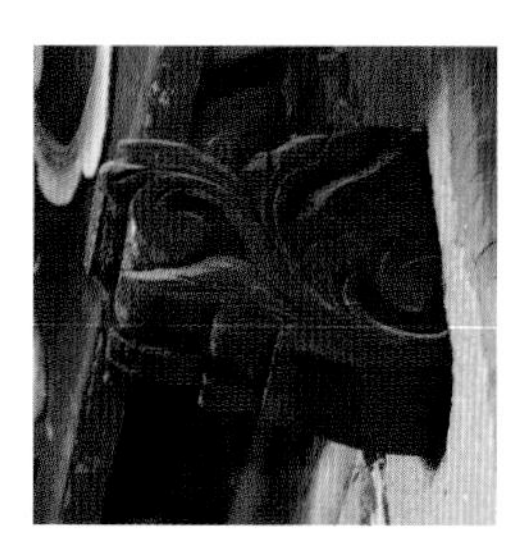

15k 右樑頭 (二三進間南(左)廂廊)

卷草

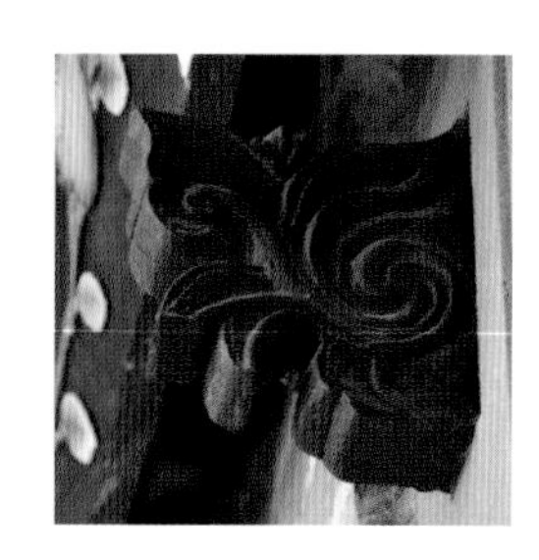

15m 左樑頭 (二三進間北(右)廂廊)

卷草

圖1-21A：鄧氏宗祠一進前右壁畫

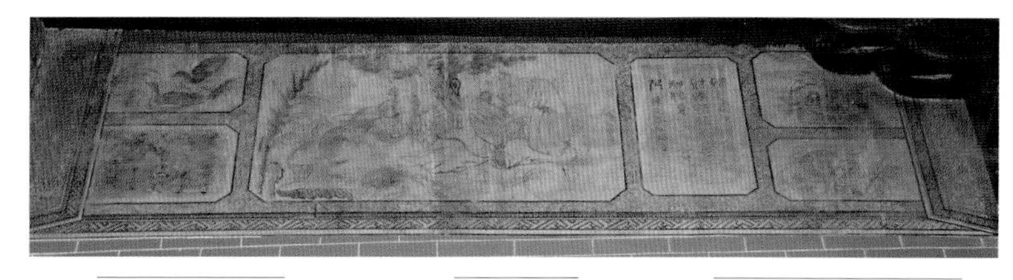

(16a)、(16b) 右山牆內　(16c)、(16d) 右簷牆上　(16e) 右簷牆上　(16f)、(16g)、(16h) 右簷牆上

16a 壁畫 (一進前右山牆內)

三喜鵲，其中一隻站在梅枝上(象徵「喜上眉梢」)，其餘二隻相對地飛(象徵「喜相逢」)；二公雞站在梅花樹上，一在上，一在下(雄雞的「冠」與「官」同音。寓意「官上加官」，象徵「步步高升」)；菊花、竹葉(象徵「祝壽」)；

題字：「時在己巳春三月摹梅道人筆法青口口畫」(行書)(己巳年：1869、1929、1989)。

圖1-21B：鄧氏宗祠一進前右壁畫

16b 壁畫 (一進前右山牆內)

花瓶、牡丹(象徵富貴)；果盆、佛手柑、瓜(象徵福)；如意；花貓(象徵壽)。

「耄」指八十至九十歲，「耋」指八十歲。貓與「耄」諧音(象徵長壽)。

整體寓意「長命富貴」、「福壽如意」；

題字：「富貴根苗圖」(篆書/摹印篆）「己已春月青道人畫」(行書) (己巳年：1869、 1929、 1989)。

16c 壁畫 (一進前右簷牆上層)

二水鴨、蘆葦。

鴨有甲字偏旁，蘆葦和臚同音，象徵「二甲傳臚」。

「科舉制度中，在殿試後皇帝宣佈登第進士名次的典禮稱為「傳臚」。古代以上傳語告下為臚，即唱名之意。傳臚之制始於宋。……明清用以稱位於狀元、榜眼、探花之下的進士第四名，即二甲第一名，三甲第一名亦間有此稱，清代又俗稱二甲一名為「金殿傳臚」，三甲一名為「玉殿傳臚」」(中國歷史大辭典編纂委員會，2000，1069-1070)。

「二甲傳臚」即希望科舉考試成功，能進士及第。

圖1-21C：鄧氏宗祠一進前右壁畫

16d 壁畫 (一進前右簷牆中央)

題字：「書云：孝乎惟孝，友于兄弟，施於有政。甲子敬書於壁」(行書/行楷書) (甲子年1864、1924、1984)。

原文出自《尚書・君陳篇》：「惟孝，友于兄弟，克施有政。言善父母者必友于兄弟，能施有政令。」

孔子在《論語・為政第二》中引用。意謂我們要孝順父母，與兄弟相親相愛，便是為政之道 (丹明子，2005，24)。

因應祠堂建築的功能作用，這裏勉勵鄧氏子弟應孝順父母及兄弟要和睦共處。

16e 壁畫 (一進前右簷牆中央)

二人同坐於松樹下，四周有蜿蜒的溪水。一人舉杯暢飲，旁有酒杯數隻及酒罈，一人倚於書本旁，正細讀文章。

畫中描繪古人參與「曲水流觴」的風俗習慣。「曲水流觴」是中國古代流傳的一種遊戲。在三月上巳節(即第一個巳日，魏晉以後定為三月初三日)。人們坐於溪水兩旁，把酒杯放在上流，讓它隨流水而下，杯停到誰的面前，誰便要舉杯飲酒(高衛紅，2009，250)。歷史上最著名的「曲水流觴」盛事為東晉王羲之與親友共四十二人，在會稽山陰的蘭亭，舉行這項遊戲。他們把當時各人所寫的詩句結成《蘭亭集》，王羲之並為該集作《蘭亭集序》。

這題材反映鄧氏族人十分嚮往古人以飲酒作詩為樂，屬於文人雅士的生活方式。

圖1-21D：鄧氏宗祠一進前右壁畫

16f 壁畫 (一進前右簷牆)

題字：「惜食惜衣，非為惜財緣惜福。求名求利，但須求己勿[莫]求人。陳文恭公格言」(篆書)。

採自桂林陳文恭所作的楹聯(梁章鉅，1996，99)。陳文恭，又名陳康伯，字長卿 (1096 - 1165年)，信州 (今江西上饒)人。曾先後任戶部司勛郎中、軍器監、泉州知州、漢州(今國川廣漢)知州、吏部侍郎、刑部尚書等職(朱紹侯，1997，1051-1052)。

釋義：要珍惜衣物和食物，不要為了錢財，而放棄珍惜現在享有的福份。名利應由自己努力求得，而不是倚仗別人幫助。

作為一族的宗祠，這些內容反映了先祖對子孫的訓勉和教導，以及他們對名利和衣食的取態。

16g 壁畫 (一進前右簷牆上)

二尾張口的鯉魚，一見背部，一反身；水草/蘆葦。

一般來說「魚」象徵「有餘」。鯉魚，「鯉」諧音「利」，與下方的二蝦圖組合，寓意「順順利利」。魚以一正一反形態展現，寓意「時來運轉」。

16h 壁畫 (一進前右簷牆下)

二蝦、水草。

蝦的腰形彎曲，跳動力強，象徵順利、「彎彎順」和「時來運轉」(野崎誠近，2000，650)。

圖1-22A：鄧氏宗祠一進前中央簷牆壁畫

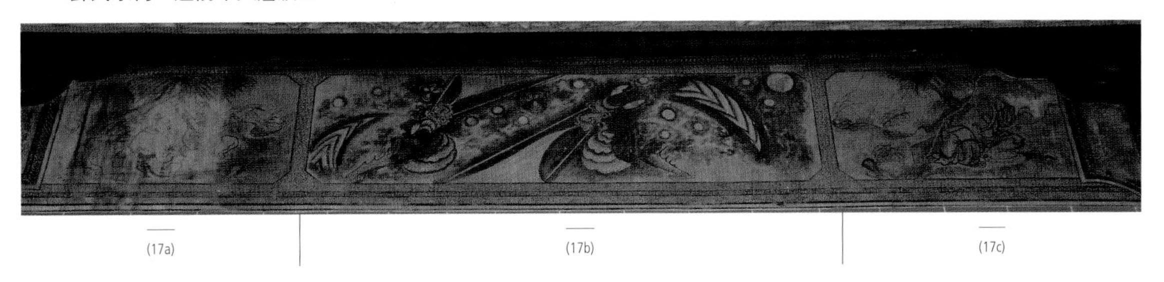

(17a) (17b) (17c)

17a 壁畫（一進前中央簷牆）

二人坐於樹蔭下，一人抱古琴，一人倚於書本旁，另有酒罈在側。

「攜琴訪友」/「扶琴訪友」/「伯牙摔琴」/「馬鞍山」

晉臣上大夫伯牙出使楚國，途經馬鞍山，停舟撫琴，遇知音鍾子期，二人訂金石之交。後伯牙攜琴再訪，但子期已死。伯牙感知音不再，遂碎琴，誓終身不復鼓（劉爭義(編)b，1915/1990，161)(寓意友情可貴)。

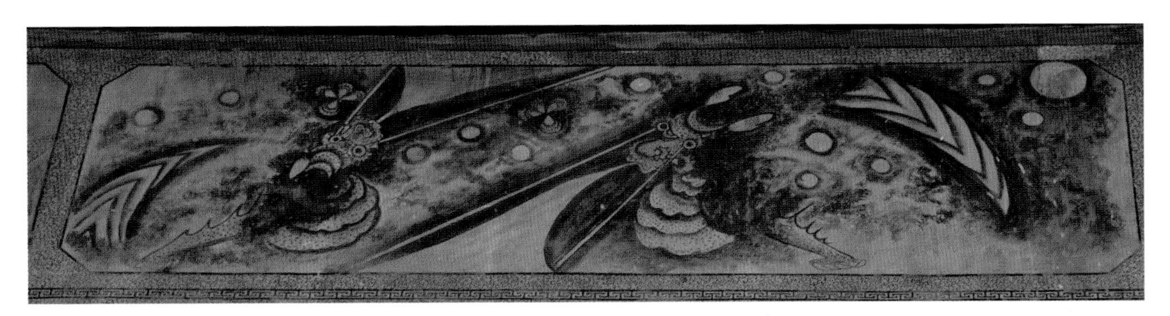

17b 壁畫（一進前中央簷牆）

水墨畫。以較抽象的手法描繪大小二龍，大龍採由上而下的姿勢，小龍朝上，有二直線連繫二龍，輔以圓點增加二者交流的氣勢。

「蒼龍教子」、「教子朝天」

蒼龍在春分時升天。大小二龍象徵父子二人(野崎誠近，2000，407)。「蒼龍教子」意謂教子刻苦學習，將來能一飛沖天，得以成功。有望子成龍之意。「蒼龍教子」是香港古建築常見的題材，愈喬二公祠、述卿書室和覲廷書室均有，都是以黑白水墨形式繪於大門以上前或後的位置，而且造型大多較抽象，不似常見的龍形。

圖1-22B：鄧氏宗祠一進前中央簷牆壁畫

17c 壁畫 (一進前中央簷牆)

二年青人，戴孩兒髮，穿茶衣，旁有書本、禾稻和盒子。

「和合二仙」：和合二仙是唐代兩位高僧寒山和拾得，寒山是個隱士，拾得是被天台山和尚收養的孤兒，寒山在寺院中認識了拾得，二人成為好朋友。後來寒山離開了，去到蘇州削髮為僧，並開山建廟。拾得往訪寒山，在途中摘下荷花贈予好友，寒山也預備食盒招待故友(禾三千、吳喬，2006，337-338)。

圖中以禾稻代替荷花，二者均諧音「和」，「盒子」寓「合」，「和合二仙」原本寓意友情和兄弟和睦共處，後引申為婚姻美滿、家庭和諧。

圖1-23A：鄧氏宗祠一進前左簷牆壁畫

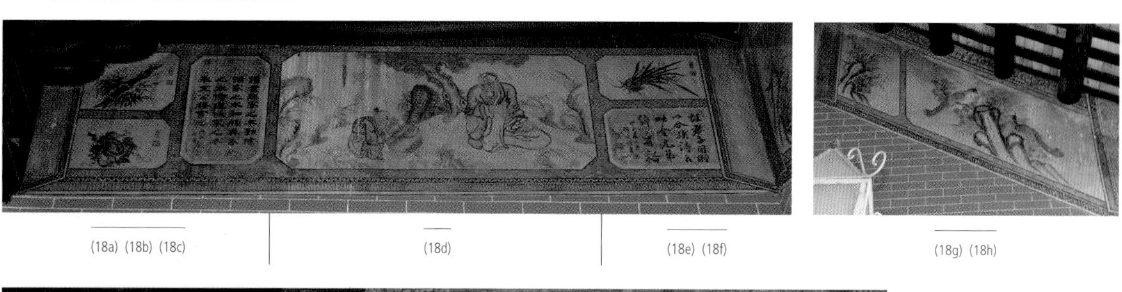

18a 上層：竹 (二紅印章)

18b 下層：二瓜 (二(紅印章)

象徵祝福、「瓜瓞綿綿」，子孫昌盛；

18c 題字：「讀書，起家之本；勤儉，治家之本；和順，齊家之本；偱[循]理，保家之本。朱文公格言也。興仁敬書」(隸書) (二紅印章)。

此格言來自朱熹親筆題字的四幅木匾，這些木匾現藏於紀念朱熹父子的「南溪書院」(楊慎初，2002，13)。

釋文：管理家務的基本方法是勤勞儉樸；治理家事應以和諧安順為先決條件，守護家業必須謹慎及按部就班；愛讀詩書，才可以振興家業；能從忠孝之道，才可讓家業得以承傳。這是鄧氏先祖給予子孫的訓勉，講解做人之道。

圖1-23B：鄧氏宗祠一進前左簷牆壁畫

18d 壁畫 (一進前左簷牆中央)

釣魚老翁，持魚杆；童僕正檢視魚簍。

「姜太公釣魚」：圖中人物應為姜子牙及武吉。

姜子牙，又名太公望，姓姜，名尚，字子牙，東海許州人士，道號飛熊。姜子牙輔助周武王打天下，建立周朝。姜子牙年近八十歲，到磻溪渭水河邊釣魚，由樵夫武吉引領，得遇周文王(許仲琳，清/2003，218)，聘任為右靈台丞相，成「渭水聘賢」的佳話。傳說他活到二百歲。圖中武吉像在魚簍中找不到魚獲，表示姜子牙並不真正在垂釣，而是等待文王的到來。此畫不見文王，應象徵長壽。

18e 上層：蘭花 (水墨畫) (二紅印章)；

18f 下層題字：「故君子因睦以合族。詩云，此令兄弟綽綽有裕。甲子夏六月靜生謹書」(行書) (二紅印章)

(甲子年1864、1924、1984)。

出自《禮記，坊記》。原文：「子云：睦于父母之黨，可謂孝矣。故君子因睦以合族。詩云：此令兄弟綽綽有裕。不令兄弟交相為瘉。」《詩經》句子出自《詩經・小雅・桑扈之什・角弓》。

釋文：孔子說：「能夠與父母的親人和睦相處，才可以稱作孝。所以君子經常招待族人，藉以加強團結。《詩經》上說：『兄弟融洽相處，彼此樂也融融；兄弟關係惡劣，便常互相指責。』」(呂友仁和呂詠梅，2009，724)。

此題字勸勉鄧氏子孫：兄弟應和睦共處，多與族人交往，並保持良好的關係。

圖1-23C：鄧氏宗祠一進前左簷牆壁畫

18g 壁畫 (一進前左山牆內)

石榴、牡丹、壽石；

18h 壁畫 (一進前左山牆內)

鳳凰、芙蓉花、壽石(象徵多子、「長命富貴」、「榮華富貴」、「鳳凰來儀」、「天下太平」)。

圖1-24：鄧氏宗祠一進前匾額

19

黑底，金漆陰刻文字，木製，上書「鄧氏宗祠」、「曾景充題」、紅印章(陰刻)、紅漆雷紋花邊。

圖1-25：鄧氏宗祠一進前門簪

20a 方形凹角，金漆陽刻「壽」字，全字以夔龍作筆劃構成。

20b 方形凹角，金漆陽刻「福」字或「富」字，全字以夔龍作筆劃構成。

20c 門簪背面

圖1-26：鄧氏宗祠一進前門枕石

21

門的地面上沒有石製的門檻，也沒有方形的凹槽(伏兔)，門楣上亦沒有設圓形的連楹榫眼，以裝置直栓杆。但門框左右下方有榫口可以讓木栓杆插入，以阻隔牲畜進入祠堂。大門下方有台階三級，較一般建築一進的一級台階為高。

圖1-27：鄧氏宗祠一進前門神

22a 右門神

沒有門鈸

武將，穿靠，靠肩、靠甲及靠腿均飾鎖錦，肩上飾有含環獸頭。胸前有護心鏡，鏡的旁邊飾蝙蝠祥雲，領上有結，似披了小斗蓬。袖口窄。背上插了四面方形橙色靠旗，分別書有「富」、「壽」字。

斜披灰色蟒服(俗稱左文右武)，表示元帥閱兵點將。蟒服飾祥雲紋，雜有葫蘆等物，中央有獸頭，像含著玉帶。寬袖口。肩部垂風帶，顯示其為神仙。掛黑虬髯(表示性格豪放不羈)。頭戴罐子盔，盔頂有立叉，叉下有倒纓，側有二偏球，配有額子。足穿高方靴，靴上有含環獸頭。腰間掛弓、箭(相傳為桃木製成，用作辟邪治鬼)及配劍，手持鉞斧，斧面飾龍形。一手持佛教手印(「一瓣作開敷勢」此為金剛法菩薩手印之一(全佛編輯部，2000，171)。

相信是尉遲敬德和天將的融合造像。

22b 左門神

沒有門鈸

武將，穿靠，靠肩、靠甲及靠腿均飾鎖錦，肩上飾有含環獸頭。胸前有護心鏡，鏡的旁邊飾蝙蝠祥雲，領上有結，似披了小斗蓬。袖口窄。背上插了四面方形藍色靠旗，分別書有「福」、「祿」字。

斜披泥黃色蟒服(俗稱左文右武)，表示元帥閱兵點將。蟒服飾祥雲紋，雜有其他物品，中央有獸頭，像含著玉帶。寬袖口。肩部垂風帶，顯示其為神仙。掛五綹黑鬚(表示其人文雅、清秀)。頭戴罐子盔，盔頂有立叉，叉下有倒纓，側有二偏球，配有額子。足穿高方靴，靴上有含環獸頭。腰間掛弓、箭(相傳為桃木製成，用作辟邪治鬼)及配劍，一手持春秋刀，也叫大刀，刀背綴紅纓。一手「持蓮花印(與「一瓣作開敷勢」結合為金剛法菩薩手印(全佛編輯部，2000，171)。相信是秦叔寶或其他大將融合天將的造像。

圖1-28：鄧氏宗祠一進後

紅砂岩甬道

圖1-29A：鄧氏宗祠一進後正脊

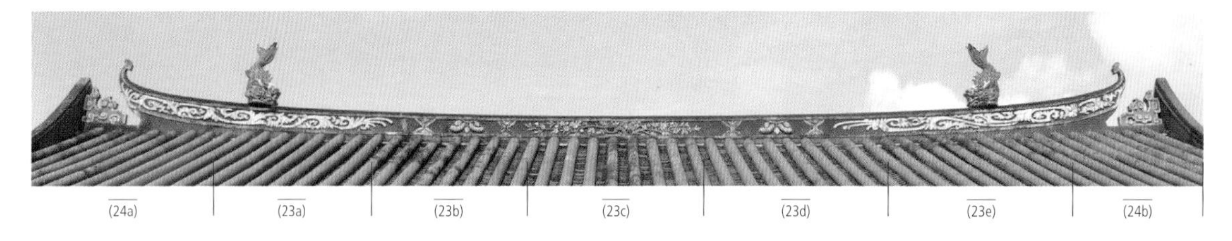

23a 正脊（一進後）

圖1-29B：鄧氏宗祠一進後正脊

23b 正脊（一進後）

23c 正脊（一進後）

卷草/蔓帶（象徵子孫萬代）、分隔圖案、瓜、分隔圖案、杏花、月季花、杏花、壽石、分隔圖案、瓜、分隔圖案（象徵多福(多子)、多壽）、卷草/蔓帶（象徵子孫萬代）。

圖1-30：鄧氏宗祠一進後封簷板

26b 封簷板（一進後）

26c 封簷板（一進後）

卷草/蔓帶、寶相花、卷草/蔓帶（象徵子孫萬代）。

圖1-31：鄧氏宗祠一進後樑架

27a 左樑架（一進後）

駝峰：如意祥雲。

圖1-32A：鄧氏宗祠一進後中央額枋底

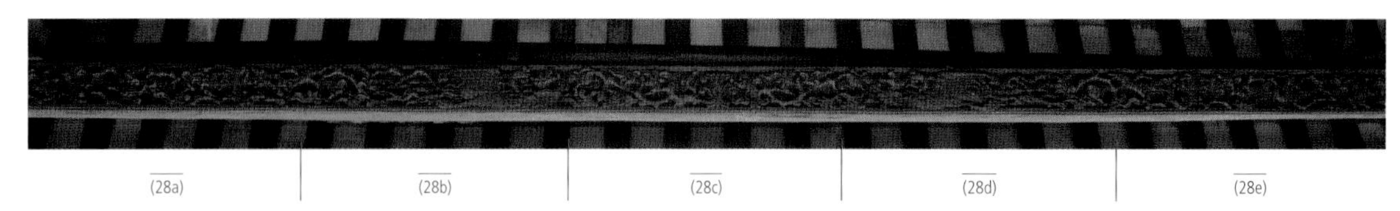

28a 中央額枋底（一進後）

28b 中央額枋底（一進後）

圖1-32B：鄧氏宗祠一進後中央額枋底

28c 中央額枋底 (一進後)

纏枝花卉、寶相花、雙鳳 (象徵「鳳凰來儀」、「天下太平」)。

圖1-33：鄧氏宗祠一進後簷牆壁畫

30a 壁畫 (一進後中央)

牡丹花、鳳凰、壽石 (象徵富貴、太平)。

圖1-34：鄧氏宗祠一進後簷牆壁畫

30c 壁畫 (一進後右隔斷牆/隔間牆))

卷草/蔓帶 (象徵子孫萬代)。

圖1-35：鄧氏宗祠二進前

圖1-36A：鄧氏宗祠二進前正脊

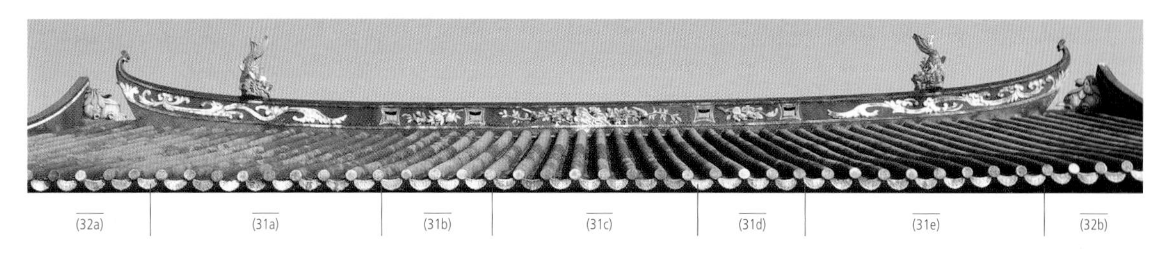

31b 正脊（二進前）

錢眼、桃、錢眼（象徵長壽）。

31c 正脊（二進前）

月季花、綬帶鳥、壽石（象徵長壽）。

31d 正脊（二進前）

佛手柑（象徵福）(與另一端合併，寓言「福壽雙全」)。

圖1-36B：鄧氏宗祠二進前正脊

31e　正脊（二進前）

卷草/蔓帶（象徵子孫世代綿長）。

圖1-37：鄧氏宗祠二進前垂脊

35a　右垂脊

卷草/蔓帶（象徵子孫世代綿長）。

圖1-38A：鄧氏宗祠二進前封簷板

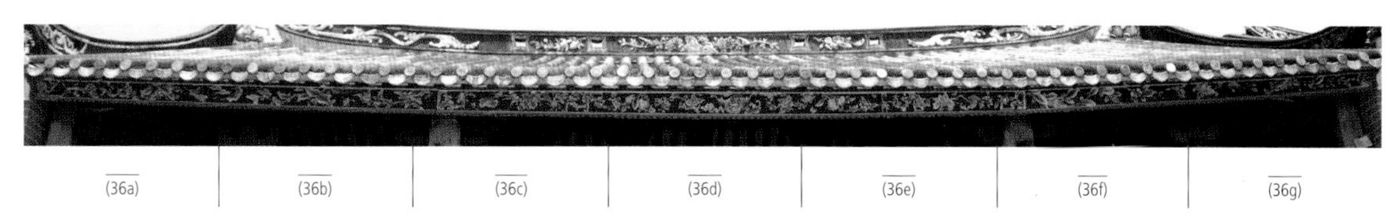

36a　封簷板（二進前）

博古、卷草及瓜蒂、瓜、蝙蝠、「青雲直上」（象徵子孫世代綿長、「福自天來」）。

36b　封簷板（二進前）

蕉葉、蝴蝶、石榴、博古（象徵多子、多福，招福、招財進寶、綿長）。

圖1-38B：鄧氏宗祠二進前封簷板

36c 封簷板（二進前）

博古、石榴、蝴蝶、蓮花、喜鵲、熊、拐子龍、倒轉蝙蝠、瓜（象徵多子、多福、福到、官祿）。

36d 封簷板（二進前）

芙蓉花、倒轉蝙蝠、祥雲、倒轉蝙蝠、牡丹花、蝴蝶、桃、蝴蝶（象徵「富貴榮華」，福到，「福壽雙全」）。

36e 封簷板（二進前）

熊、博古龍、玉蘭花、喜鵲、瓜、博古（象徵三多，即多福、多祿、多壽）。

36f 封簷板（二進前）

佛手柑、蝴蝶（象徵多福）。

36g 封簷板（二進前）

玉蘭花、蝴蝶、山茶花、卷草、博古（象徵長壽）。

圖1-39：鄧氏宗祠二進前右額枋（底）

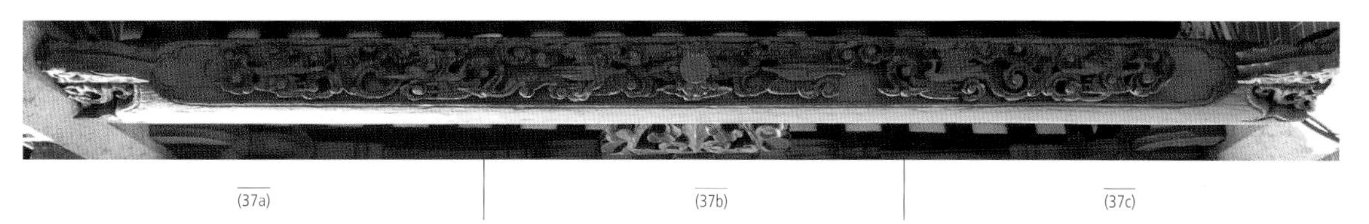

二隻鳳凰、一隻飛鳥、太陽、祥雲、三隻飛鳥（最外的一對採回望姿勢，中間一對側身面向中央，太陽兩側的一對見腹部）（鳥首整體向內）（象徵「鳳凰來儀」、「百鳥朝陽」、「天下太平」）。

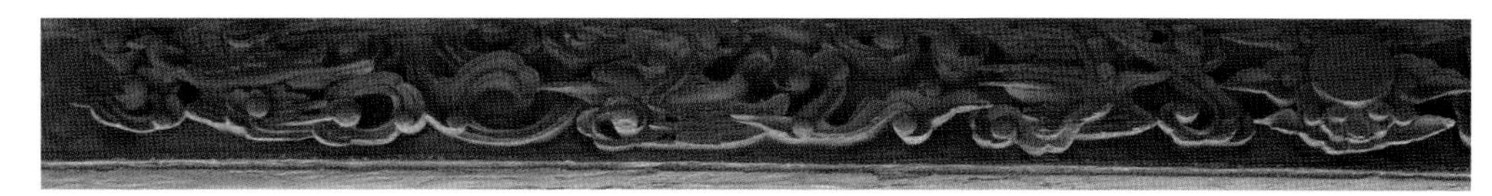

37a 右額枋（二進前）

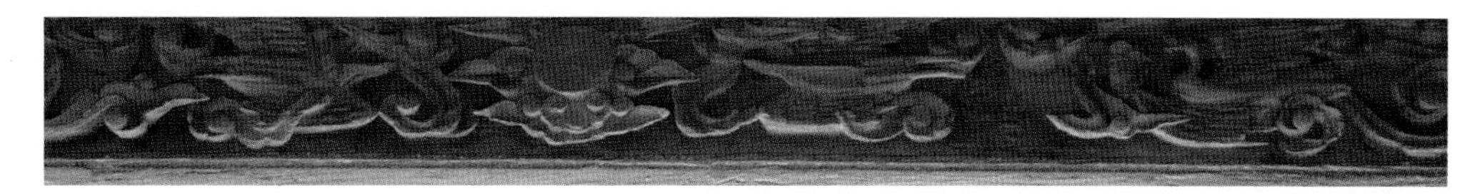

37b 右額枋（二進前）

圖1-40：鄧氏宗祠二進前左額枋（底）

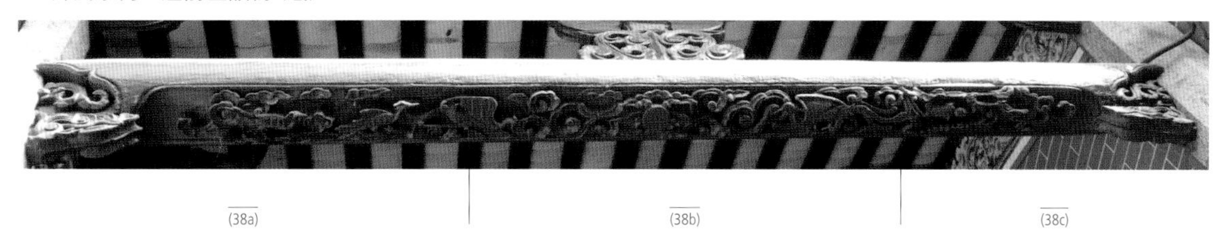

三隻鳥朝向太陽(太陽在中央)、祥雲、一隻長尾鳳凰(向太陽)、一隻青蛙朝外(見背部)、一隻青蛙向內(側面)（象徵「鳳凰來儀」、「百鳥朝陽」、「天下太平」）。

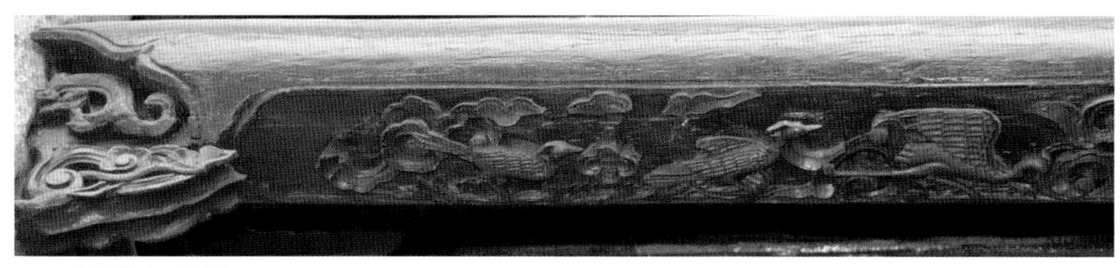

38a 左額枋（二進前）

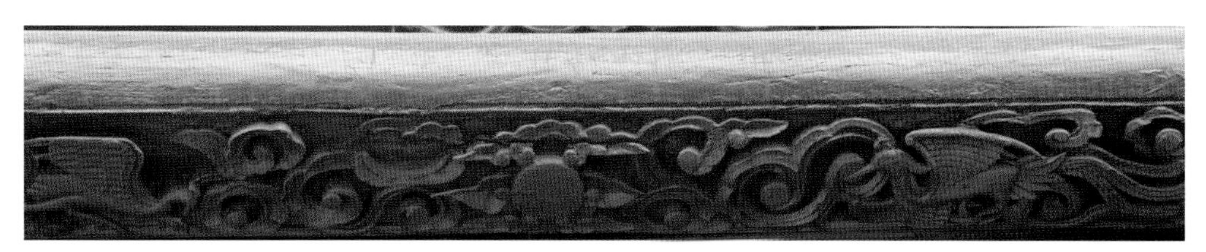

38b 左額枋（二進前）

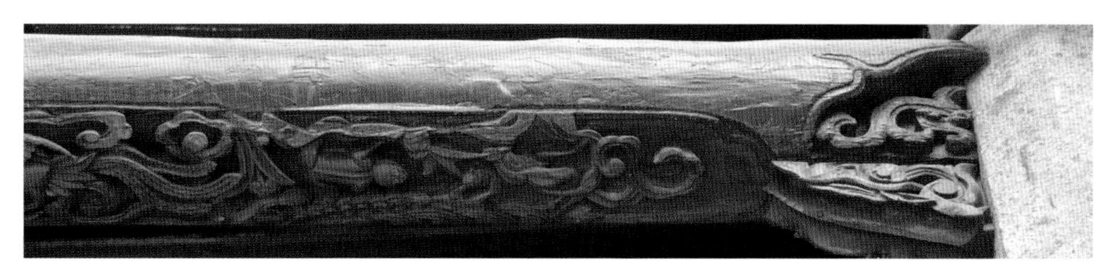

38c 左額枋（二進前）

圖1-41：鄧氏宗祠二進前中央額枋、一斗三升、駝峰 及左右樑架

圖1-42A：鄧氏宗祠二進前中央額枋底部

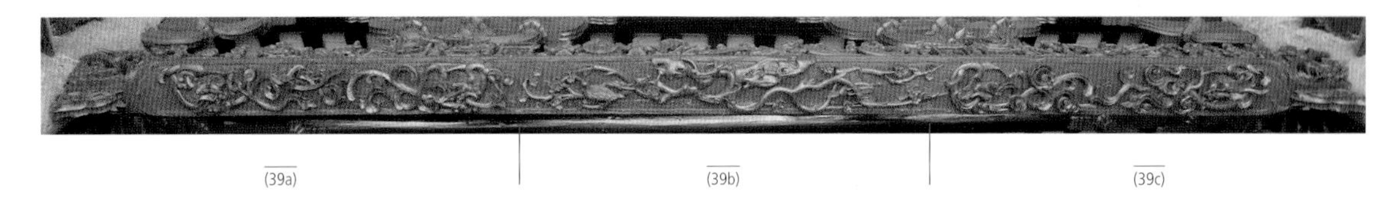

39a　39b　39c

草龍、梅花、二喜鵲、草龍(象徵「喜上眉梢」)。

39b 中央額枋(二進前)

39c 中央額枋(二進前)

圖1-42B：鄧氏宗祠二進前中央額枋（正面）

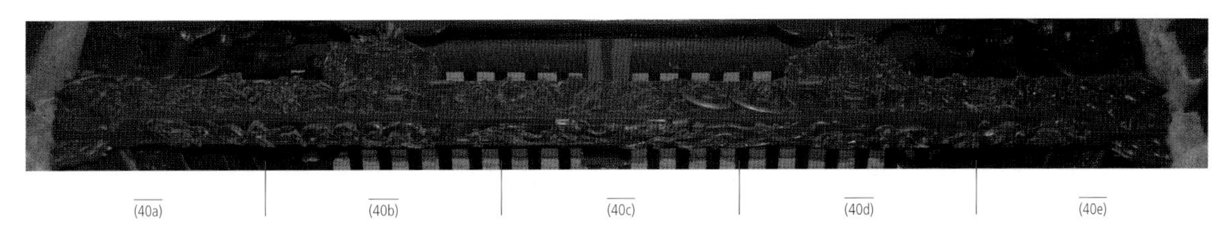

40a 中央額枋正面（二進前）

末端人物，前有桌子，上置茶壺。卷草、鳥、人物持笛/簫(應為韓湘子)、人物持花籃(應為藍采和)(頭部已毀)、女士(可能是何仙姑)、掛長鬚持魚鼓騎驢人物(應為張果老)、猴子捧桃（象徵八仙賀壽之四仙)。

40b 額枋及駝峰(二進前中央額枋右)

駝峰裝飾：有三屋頂內有三人物（一人坐下，可能是西王母，二人站立，可能是侍從)。

額枋裝飾：中央建築物有二層屋頂，二人物站在屋的左右（一人左手持扇，右手拿棒狀物。另一人右手拿布狀物），二層屋的兩端另有建築物，屋頂下有洞門。一為月門，另一為如意門。內有人物探頭向外，皆面向中央。

表達天宮莊嚴的面貌，西王母的威儀，為八仙賀壽的關鍵場景。

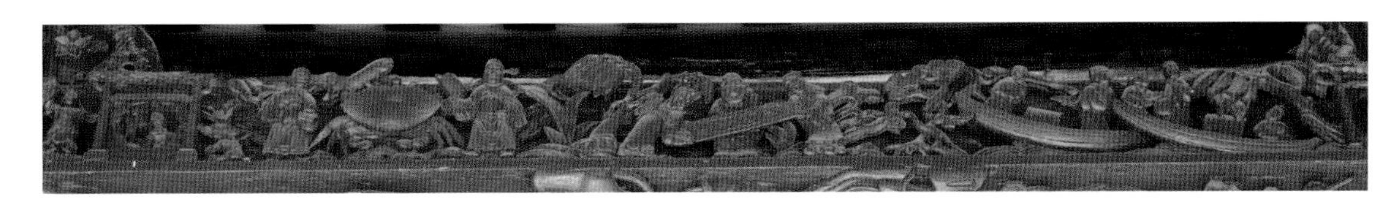

40c 中央額枋正面（二進前）

官員、巨蟹、官員、三人閱讀卷軸，上有文字「三星報喜」、二彎船(一載二人，一載三人)。

象徵官祿、蟹(甲)(象徵「二甲傳臚」)，福祿壽三星報喜，彎彎的船形(象徵「彎彎順」，船上的人可能是餘下八仙之四，正渡海向西王母賀壽。

40d 額枋及駝峰（二進前中央額枋左）

駝峰裝飾：上層中央建築中有一有鬚人物端坐其中(可能是東王公)，左右各站一官員，一位戴相貂，一位戴侯帽。

額枋裝飾：建築有二層屋頂，左右兩端也有兩人物均舉一手示意。兩側另有建築，屋頂下分別有「月門」和「八角形」洞門，內有人物探頭向外(八角門內為女士，月門內為男士)。

圖1-42C：鄧氏宗祠二進前中央額枋及駝峰

40e 中央額枋正面（二進前）

老虎、龍、鹿、麻姑（挑一籃子桃）、有鬚人物、鳥、人物側有一桌子，桌上有茶壺（描述神仙生活的狀況，象徵生活無憂自在）。

圖1-43：二進前簷廊樑架

41b 左樑架（二進前簷廊）

二進前簷廊左樑架上二層穿插枋底部

最上層：菊花；中間：菊花；
最下層：鳥、獅（象徵壽、祿）。

圖1-44：二進前簷廊左樑架穿插枋（最下一層底部）

獅子(背面向內)、鳥(側面向內)、獅子(側面向內)、鳥(背面向內)、獅子(側面向外)（寓意「英雄會」(參考覲廷書室壁畫解釋)）。

圖1-45：二進前簷廊右樑架穿插枋（最下一層底部）

二獅(回望)、鳥(大)(中央)、花卉、樹枝、鳥(小)（寓意「英雄會」）。

圖1-46：鄧氏宗祠二進前簷廊樑架上駝峰

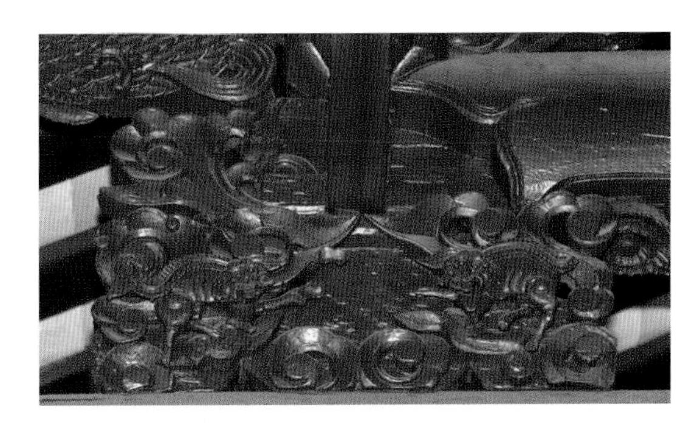

42c 駝峰（右樑架上層）

二含綵帶獅子（象徵子嗣或官祿）。

42d 駝峰（左樑架上層）

二含綵帶獅子（象徵子嗣或官祿）。

42e 駝峰（右樑架下層）

騎馬官員(戴相貂)、僕人(象徵「馬上封侯」)。

42f 駝峰（左樑架下層）

騎馬官員、僕人、喜鵲（象徵「馬上報喜」）。

圖1-47A：鄧氏宗祠二進中央右樑架

43a 三架樑底雕刻（二進中央右樑架）

最頂：鰲魚

三架樑底部：響板(曹國舅)、綵帶；仙鶴 祥雲；葫蘆(鐵拐李)、綵帶（象徵八仙）。

圖1-47B：鄧氏宗祠二進中央右樑架

43b 五架樑底雕刻 (二進中央右樑架)

六隻對望的拐子龍

43c 七架樑底雕刻 (二進中央右樑架)

「雙龍戲珠」

圖1-47C：樑底部雕刻 (二進中央右樑架九架樑(最下層))

卷草、芙蓉花、二鳳凰(見腹部)、卷草 (象徵「鳳凰來儀」。

43d1 九架樑底部

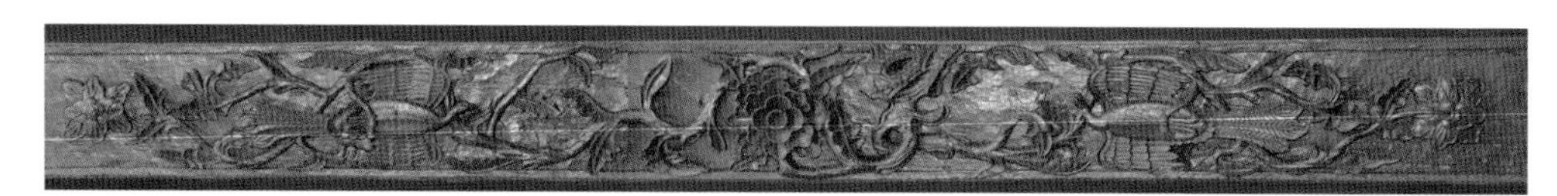

43d2 九架樑底部

圖1-48：鄧氏宗祠二進中央左樑架底部雕刻

最頂：鰲魚

44a 三架樑底部

扇（鍾離權）、綵帶；仙鶴、祥雲；錢、綵帶。

44b 五架樑底部

六隻對望的拐子龍

44c 七架樑底部

二鯉魚在中央禹門之下、左右二龍於祥雲之中(象徵「鯉躍龍門」)。

44d 九架樑底部

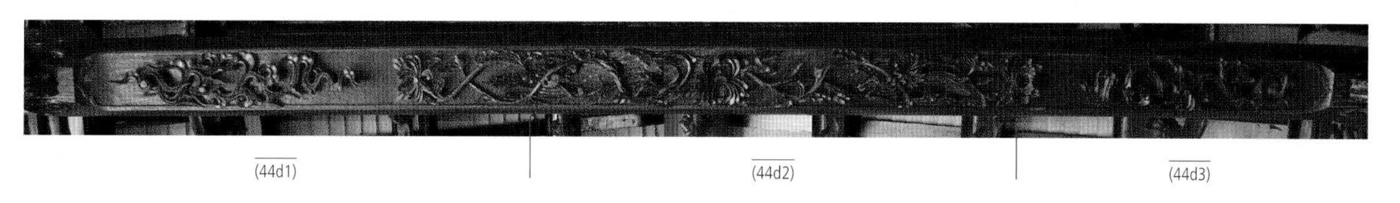

(44d1) (44d2) (44d3)

44d1 九架樑

44d2 九架樑

卷草、中央寶相花、2鳳凰(見腹部，從下向上望的角度)、卷草。

圖1-49A：鄧氏宗祠二進中央右樑架駝峰

42g 三架樑上的駝峰

如意、卷草。

圖1-49B：鄧氏宗祠二進中央左右樑架駝峰

42i 駝峰（右樑架七架樑西）

三層塔、二鴨（象徵「雁塔題名」、「二甲傳臚」）。

42j 駝峰（右樑架七架樑東）

對稱的二龍、祥雲。

42m 駝峰（右樑架九架樑西）

二仙鶴、桃（象徵長壽）。

42n 駝峰（右樑架九架樑東）

一大一小龍（象徵「蒼龍教子」）。

圖1-50：鄧氏宗祠二進台階及垂帶

45a 台階及垂帶 (二進前中央)

台階五級，垂帶弧形凹角。

45c 台階及垂帶 (二進後左廂廊)

台階四級，垂帶弧形凹角。

圖1-51：鄧氏宗祠二進二門(屏門)及橫披(前)

46a 橫披(二進二門上)

風車紋

匾額題字：「同治十年辛未科欽點　翰林院庶吉士　臣鄧蓉鏡恭承」。

鄧蓉鏡為元英祖之後人。

圖1-52：鄧氏宗祠二進壁畫

47a 壁畫（二進山牆內屋角）

卷草（象徵子孫世代綿長）。

47c 壁畫（二進東牆／右端）

鷹、熊、太陽（寓意「英雄會」、「旭日初升」，象徵官祿）(與古代畫法不同)。

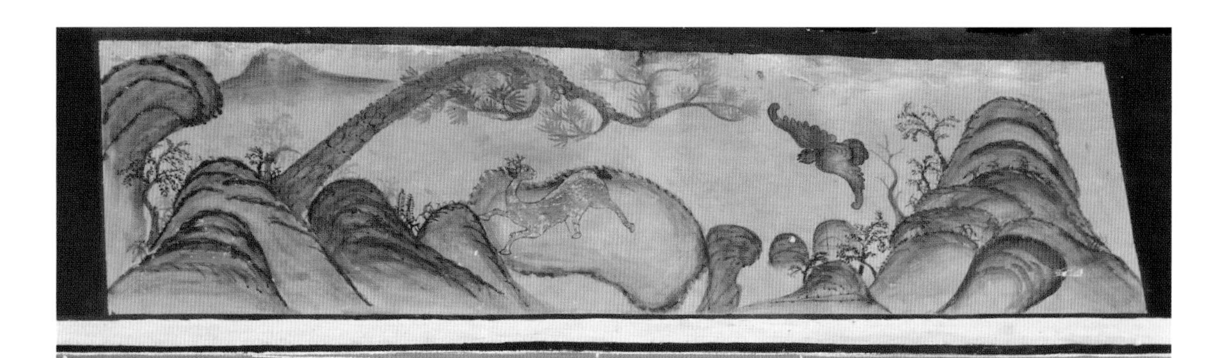

47d 壁畫（二進東牆／左端）

松樹、鹿、鳥（象徵官祿）(與古代畫法不同)。

圖1-53：鄧氏宗祠二進後

圖1-54A：鄧氏宗祠二進後正脊

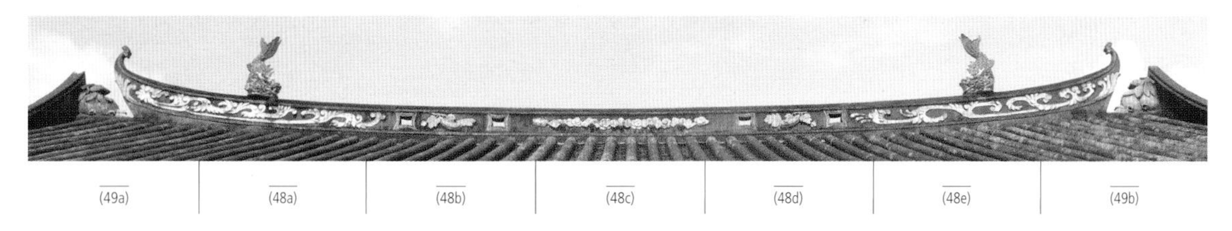

48a 正脊（二進後）

卷草/蔓帶（象徵子孫世代綿長）。

圖1-54B：鄧氏宗祠二進後正脊

48b 正脊（二進後）

瓜（象徵多子、「瓜瓞綿綿」）。

48c 正脊（二進後）

五蝙蝠、如意雲（象徵「五福如意」）。

圖1-55：鄧氏宗祠二進後封簷板

49a 封簷板（鄧氏宗祠二進後）

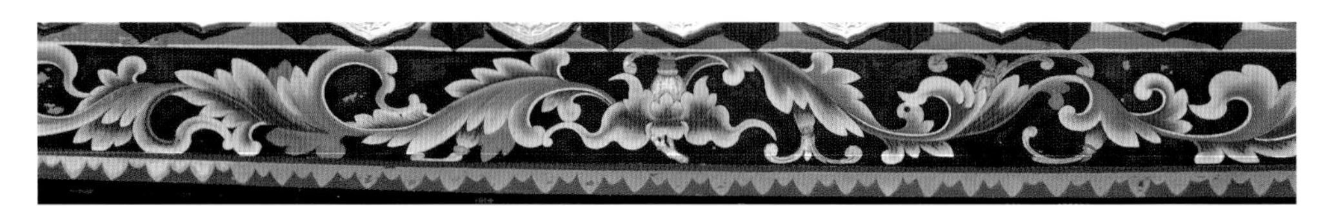

49c 封簷板（鄧氏宗祠二進後）

卷草/蔓帶、寶相花（象徵子孫世代綿長）。

圖1-56：鄧氏宗祠二進後梁架

50a 左梁架底(正面)

中層：二草龍；

下層：卷草、如意。

圖1-57：鄧氏宗祠二進後梁架上的駝峰

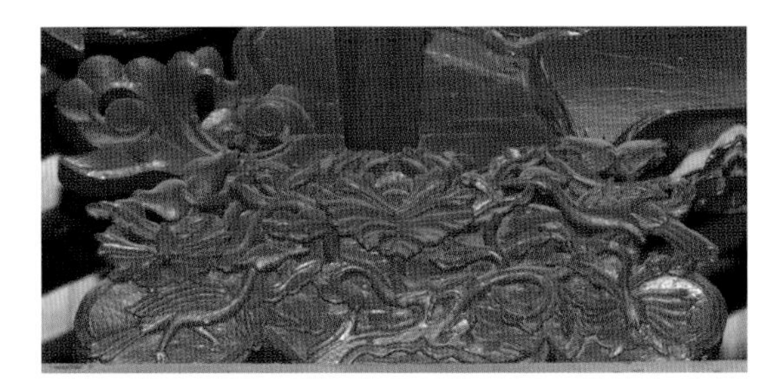

51a1 駝峰 (左梁架最上層正面)

二綬帶鳥、蓮葉、石榴 (象徵福壽)。

51b1 駝峰 (右梁架最上層正面)

石榴、二喜鵲 (象徵福、喜)。

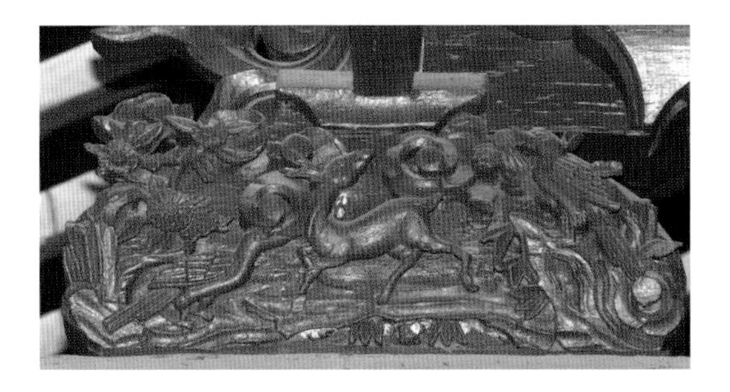

51a3 左梁架駝峰下層正面

鹿、二喜鵲 (象徵喜、祿)。

51b3 右梁架下層駝峰正面

鹿、二喜鵲 (象徵喜、祿)。

圖1-58：鄧氏宗祠二進後廂廊

南(左)廂廊

圖1-59：鄧氏宗祠二進後廂廊漏窗

52a 漏窗 (南(左)廂廊近三進)

中央金錢形，中心方形錢眼，四角蝙蝠形(象徵「福到眼前」)。

52b 漏窗 (南(左)廂廊近二進)

中央菱形海棠花形，中心柿蒂形，四角如意形(象徵「滿堂如意」、「事事如意」)。

圖1-60：鄧氏宗祠封簷板 (北(右)廂廊)

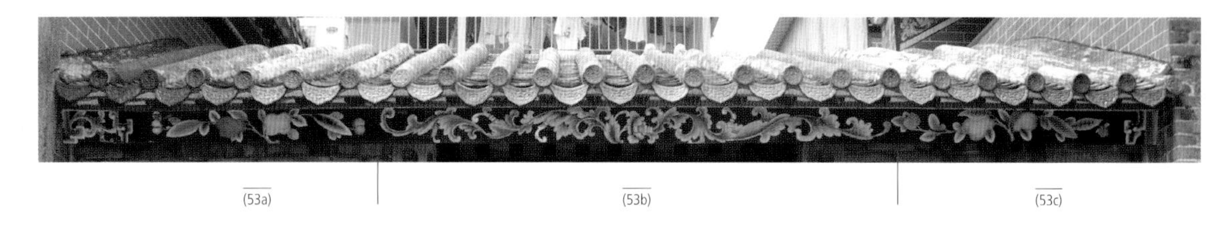

(53a) (53b) (53c)

53a 封簷板 (北(右)廂廊)

53b 封簷板 (北(右)廂廊)

卷草、博古、瓜果、卷草、寶相花、卷草、瓜果、博古 (象徵子孫世代綿長)。

圖1-61：封簷板(南(左)廂廊)

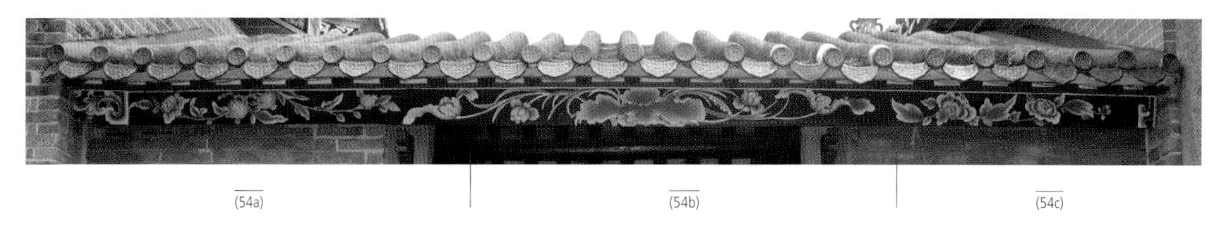

卷草、蓮花、石榴、蘆葦、蓮花、牡丹(象徵多子、富貴)。

54a 封簷板(南(左)廂廊)

54b 封簷板(南(左)廂廊)

54c 封簷板(南(左)廂廊)

圖1-62：鄧氏宗祠左廂廊穿斗式樑架

圖1-63：鄧氏宗祠三進前

圖1-64A：鄧氏宗祠三進前正脊

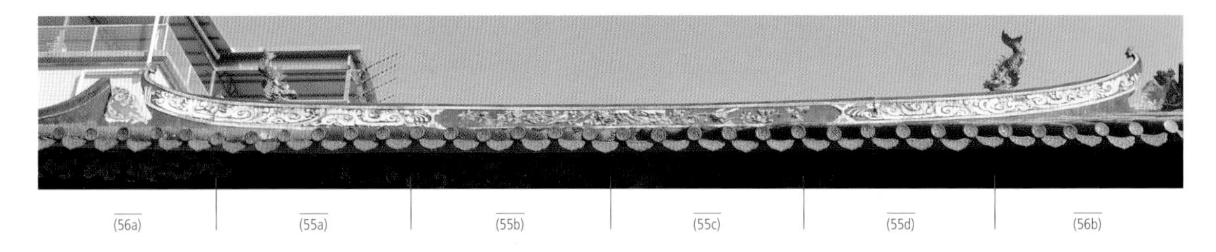

55a 正脊（三進前）

卷草/蔓帶（象徵子孫世代綿長）。

55b 正脊（三進前）

月季花、綬帶鳥、壽石（象徵長壽）。

圖1-64B：鄧氏宗祠三進前正脊

55c 正脊 (三進前)

壽石、佛手柑、綬帶鳥 (象徵「福壽雙全」)。

圖1-65：鄧氏宗祠三進前封簷板

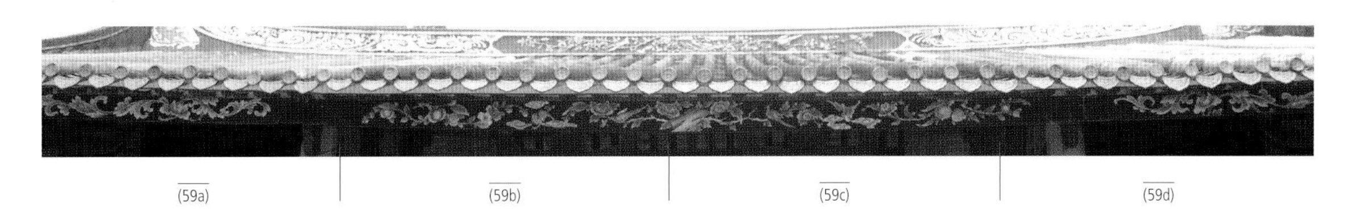

59a 封簷板 (三進前)

卷草、寶相花 (象徵子孫世代綿長)。

59b 封簷板 (三進前)

瓜、熊、祥雲、牡丹、綬帶鳥、壽石 (象徵多子、官祿、富貴、長壽)。

59c 封簷板 (三進前)

壽石、牡丹、綬帶鳥、祥雲、蝙蝠、石榴 (象徵長壽、富貴、福、多子)。

圖1-66：鄧氏宗祠三進前中央額枋

雙龍戲珠、祥雲。

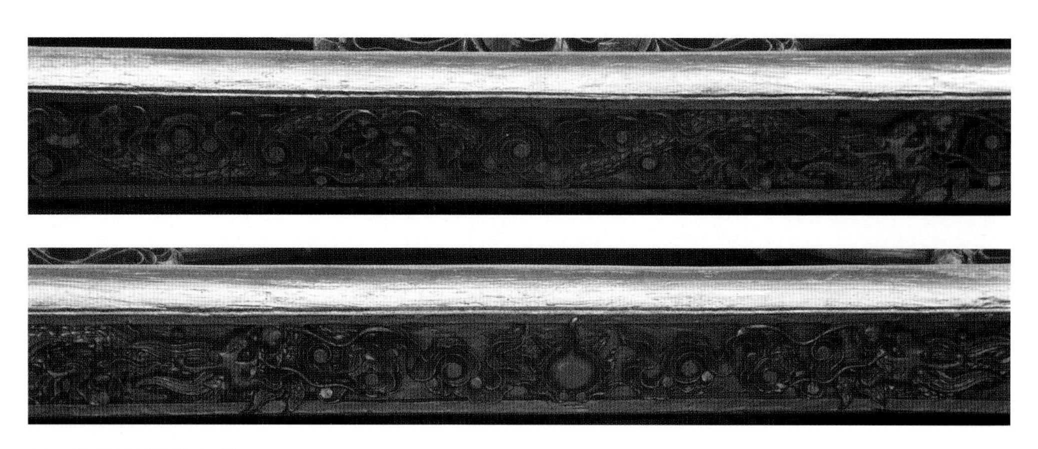

60a 額枋 (三進前中央)

60b 額枋 (三進前中央)

圖1-67：鄧氏宗祠三進前樑架

62 左樑架正面 (三進前))

61a 駝峰 (右樑架上層東正面)

如意祥雲

圖1-68：鄧氏宗祠三進前左右樑架上的駝峰

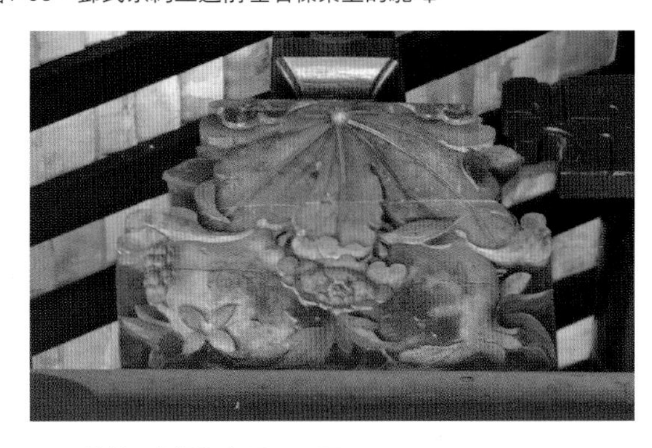

61b 駝峰（右樑架上層西正面）

蓮葉、石榴（象徵「年生貴子」）。

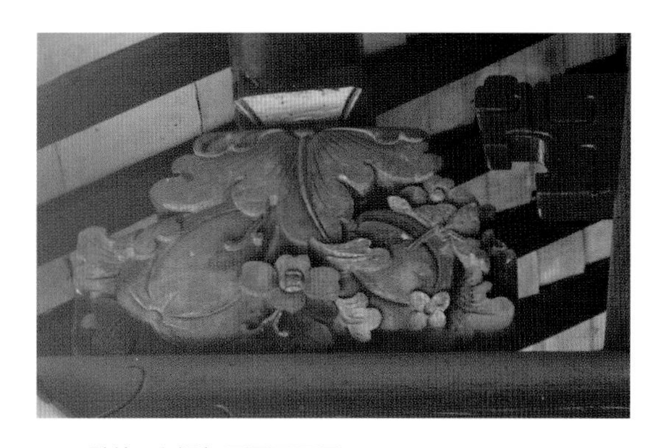

61c 駝峰（右樑架下層西正面）

瓜（象徵多子、「瓜瓞綿綿」）。

62d 駝峰（左樑架下層東正面）

鰲魚、瓜（象徵多子(福)、祿)。

圖1-69A：鄧氏宗祠三進壁畫

63a 壁畫（三進右山牆內）

卷草

圖1-69B：鄧氏宗祠三進壁畫

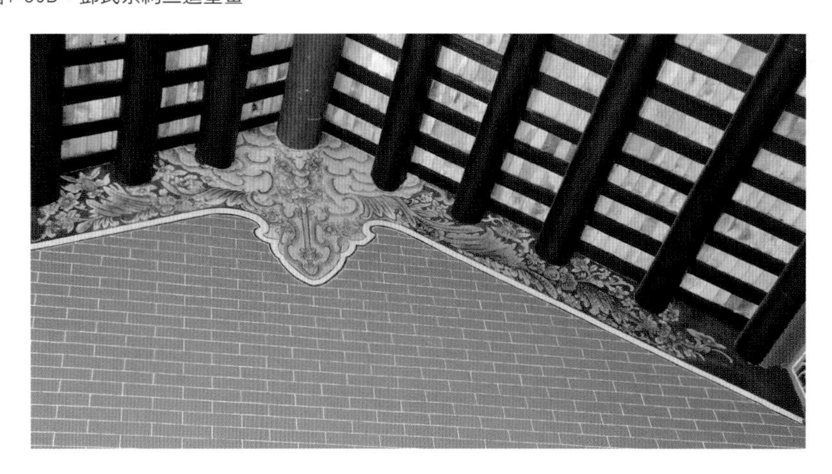

63c 壁畫（三進中央右隔斷牆/隔間牆內壁畫）

祥雲(中央)(棒狀物在中央)；卷草、海棠、石榴、瓜果(象徵多子、子孫萬代)。

圖1-70A：鄧氏宗祠三進中央花罩（隔扇式落地罩/隔扇罩）

64a 橫披(三進中央)

柿蒂、如意（象徵「事事如意」）。

圖1-70B：鄧氏宗祠三進中央花罩 (隔扇式落地罩/隔扇罩)

64b1 隔扇罩(三進中央)

上層彩畫：「黃山勝景」「辛未年黃畫」(行書)；
中央鏤空木刻：博古、花藍、瓜、海棠；
下層彩畫：荔枝「辛未年黃畫」(行書)。

64b2 隔扇罩(三進中央)

上層彩畫：「祖國河山春常在」(行書)；
中央鏤空木刻：博古、花藍、瓜、海棠；
下層彩畫：「荷溏清趣」「辛未年黃畫」(行書)。

圖1-70C：鄧氏宗祠三進中央花罩

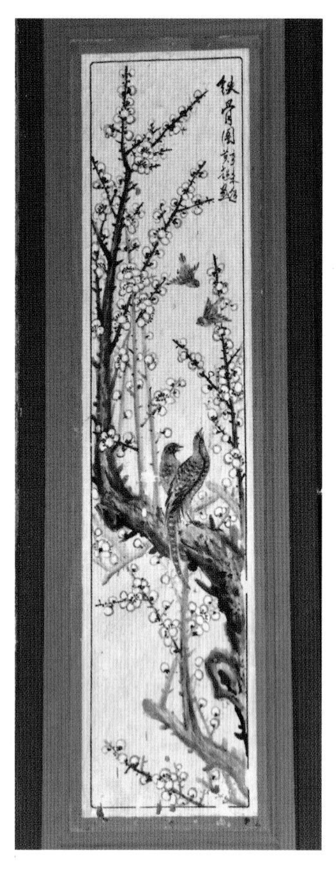

64c1 隔扇罩(三進中央)

梅花、二喜鵲、二長尾鳥、「鐵骨圖」
「辛未年黃超畫」(行書)
(象徵「喜上眉梢」)。

64c2 隔扇罩(三進中央)

松樹、鶴、「松鶴延年」
「辛未年黃超畫」(行書)
(象徵「松鶴延年」、長壽)。

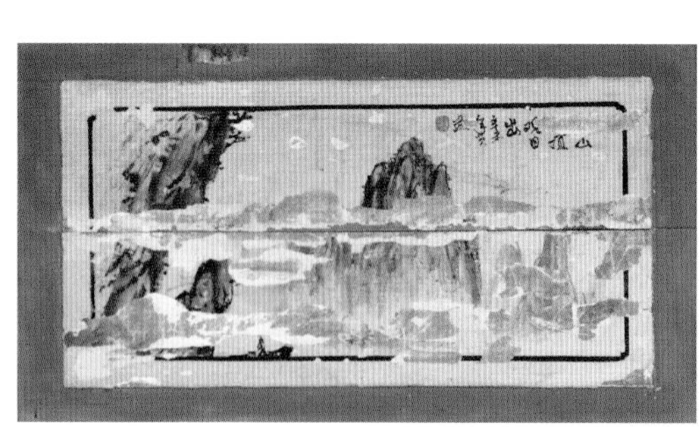

64d1 隔扇罩(三進中央)

「口山口頂觀日出」「辛未年黃畫」
(行書)(象徵長壽)，辛未年 (1991)。

64d2 隔扇罩(三進中央)

「桂林山水甲天下」「辛未年黃超畫」(行書)(象徵長壽)。

64e1 隔扇罩(三進中央)

菱花

圖1-71：鄧氏宗祠三進後

圖1-72：鄧氏宗祠三進後正脊

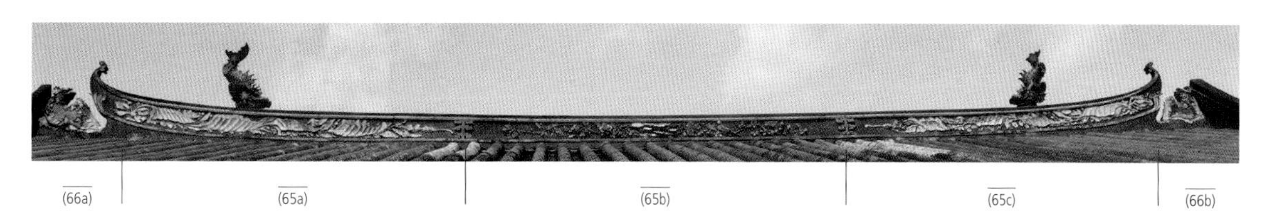

65b 正脊 (三進後)

月季花、綬帶鳥、壽石 (象徵長壽)。

65c 正脊 (三進後)

蕉葉 (象徵子孫世代綿長/大業/招來福氣/八寶之一)。

圖1-73：鄧氏宗祠三進後垂脊

翹角形(外形)，卷草/蔓帶(灰塑) (象徵子孫世代綿長)。

圖1-74：鄧氏宗祠三進山牆博縫灰塑

69a 灰塑 (三進右山牆博縫)

卷草/蔓帶 (象徵子孫世代綿長)。

愈喬二公祠

屏山古建築裝飾題材

圖2-1：愈喬二公祠一進前

建築沿革

愈喬二公祠位於屏山坑尾村，鄧氏宗祠側。愈喬二公祠的創建年代已不可考，根據鄧聖時的資料，該祠是由屏山鄧氏第十一傳鄧世賢(號愈聖)和鄧世昭(號喬林)於十六世紀初，為了紀念父親鄧翰傑而興建的。鄧翰傑(號松坡，生於明朝永樂己亥年(1419年)，享年73歲)。鄧翰傑(松波)一房屬屏山三大房之一，長房翰輔、次房翰弼，翰傑屬第三房。世賢(號愈聖)是翰傑的長子，次子世明(字繼美)，世昭(字繼宗，號喬林)是第三子。因為兄弟世明不願參與，故把建築命名為「愈喬二公祠」。族譜記載喬林生於明朝天順四年(1460年)，卒於嘉靖辛丑年(1541年)，享年81歲。鄧聖時因而推算該祠約建於公元1500至1520年間。愈聖沒有子嗣，世明後來遷往屯門，喬林的五子中，以長子櫞一脈的子孫在科舉上最有成就。自二十一傳的飛鴻在乾隆己亥年(1779年)考取鄉進士(武舉人)後，二十傳的瑞泰和侄兒遂懷，與及瑞泰的第三子鄧進興(勳猷)、孫兒惠育和宏恩(宏英)都先後中舉，愈喬二公祠外面的功名石，便是紀念勳猷在道光丁酉年考獲舉人而立。述卿(作猷)是瑞泰的第二子，覲廷(經猷)是瑞泰的第五子，可見述卿書室和覲廷書室都與愈喬二公祠有一脈相承的關係。

「愈喬二公祠」與「鄧氏宗祠」的規模相若，相信是承襲祖先的社會地位使然。鄧翰傑(松波)和世昭(喬林)父子均被封為壽官(「壽官」是明代賜予老人冠帶的頭銜，受頒者須為鄉里所敬服，德壽兼備的老人)，可見當時鄧族享有崇高的社會地位。現在安放在愈喬二公祠神龕上最高位置的三大神主牌，有居中的「宋承務郎太始祖」鄧漢黻，兩側的「明處士十一世祖世賢號愈聖鄧公」和「明壽官十一世祖世昭號喬林鄧公」；下一層由十二世祖開始；最下層至清二十四傳。述卿和覲廷的父親瑞泰的神主牌上書「清鄉進士即用衛守府二十世祖」，神龕上亦見喬林家族最後一位考獲舉人宏英，上書「清二十二世鄉進士例授武略騎尉名宏英號璞石鄧公」。神龕上的神主牌共189座之多。

「愈喬二公祠」大門匾額上刻有「光緒元黓敦牂葭月重修」，即二公祠曾在光緒壬午年（1882年）十一月重修。相信該祠現在的面貌大多受這次重修影響。在1931至1961年間，鄧日騰、鄧儀卿、鄧友山、鄧諾如和鄧聘三等在「愈喬二公祠」內開辦了達德學校，一所現代模式的小學(鄧聖時，1999，40-44)。因應現代學校的需要，愈喬二公祠的建築該有受一定的影響。該祠在1940年代曾失火，直至1995年進行了一次全面的修葺，讓建築回復舊貌，並於2001年被列為法定古蹟。由於在一進前兩端山牆的壁畫上書有「癸酉年冬」字樣，相信這次重修是由1993年開始的。

建築結構

愈喬二公祠較鄧氏宗祠略矮，也是三進兩院式中軸對稱的建築，三進均面闊三開間，山牆為尖頂式，山面使用山牆承重。前簷廊中有鼓台、花崗石簷柱及柱礎、紅砂岩角柱及柱礎、木樑架和木門額枋。第一進的結構是十二檩硬山，前抬樑四步架中磚牆後抬樑三步架混合式，第二進為十五檩硬山前後三步樑式，主樑為九架樑，樑下沒有雀替，第三進為十六檩硬山前抬樑五步架後磚牆混合式(林尚智，2008，48-52)。硬山式屋頂，有翹角形正脊及垂脊。大門不見門檻，但門框兩側下端有榫口可插入木栓。據村民的解釋，是用作插入橫木，以阻隔牲畜進入祠堂。台階方面，一進門枕石側有二級，鼓台邊另有一級，一進前合共有三級，二進有五級，三進有七級。愈喬二公祠的建築階級與鄧氏宗祠一樣，都是由外向內逐進遞增。愈喬二公祠大門側的二級台階，使其看來與鄧氏宗祠的階級有所分別。樑架下方的穿插枋，在穿過石柱的榫口後，以一組斗栱的結構凸出柱面，中央的樑頭部分雕刻成草龍或卷草形。全所建築的樑架都呈黑色，沒有敷彩。這建築結構是與鄧氏宗祠明顯差異之處。

一進院中有紅砂岩甬道，後庭有廂廊作為連接二進間的通道。

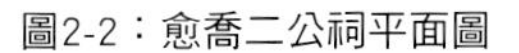

圖2-2：愈喬二公祠平面圖

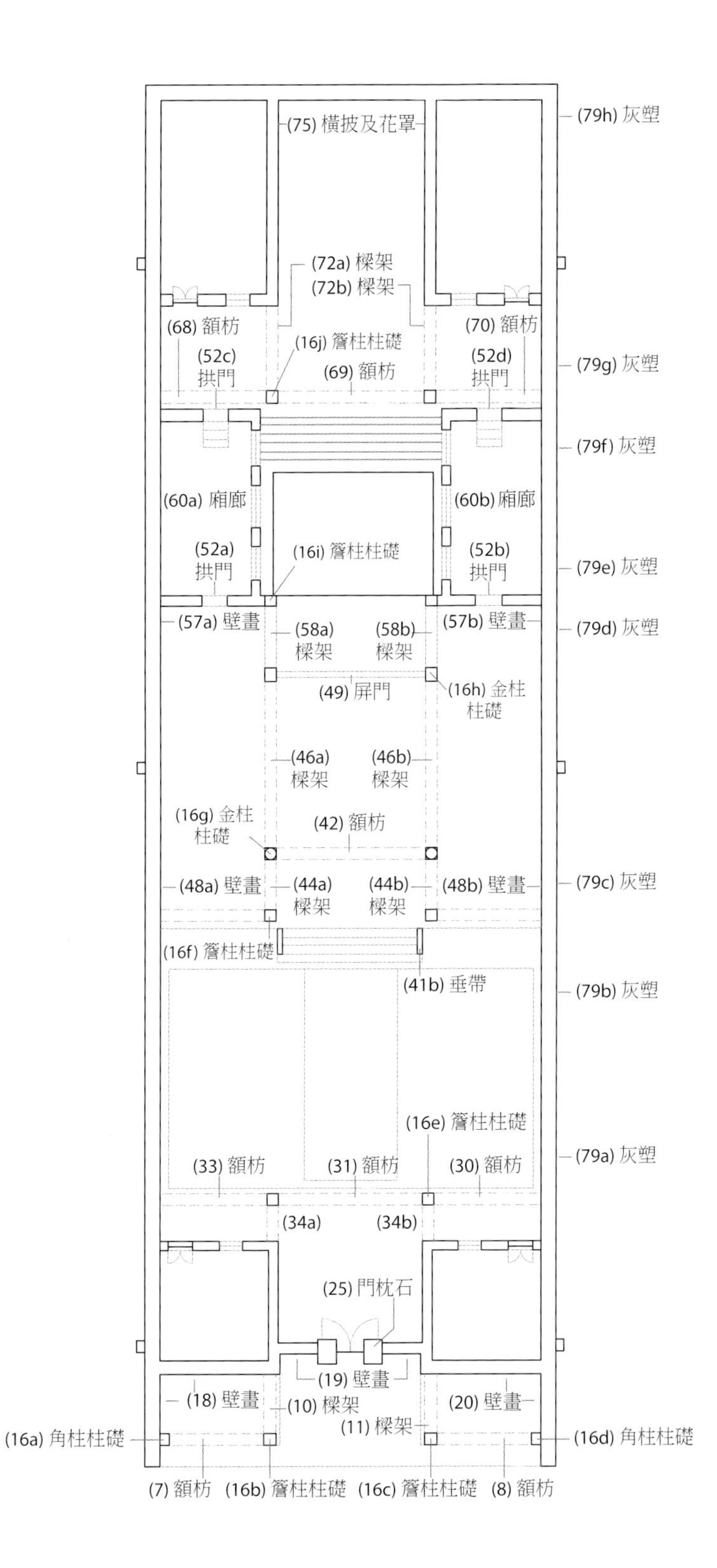

圖2-3：愈喬二公祠側面圖

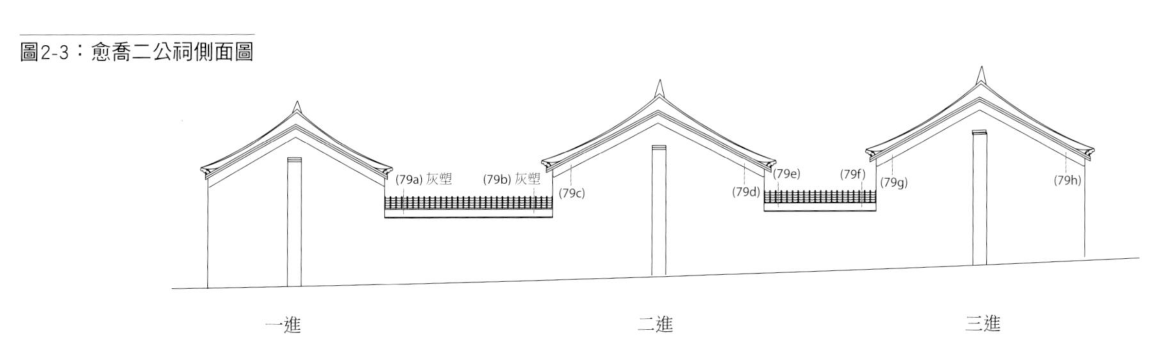

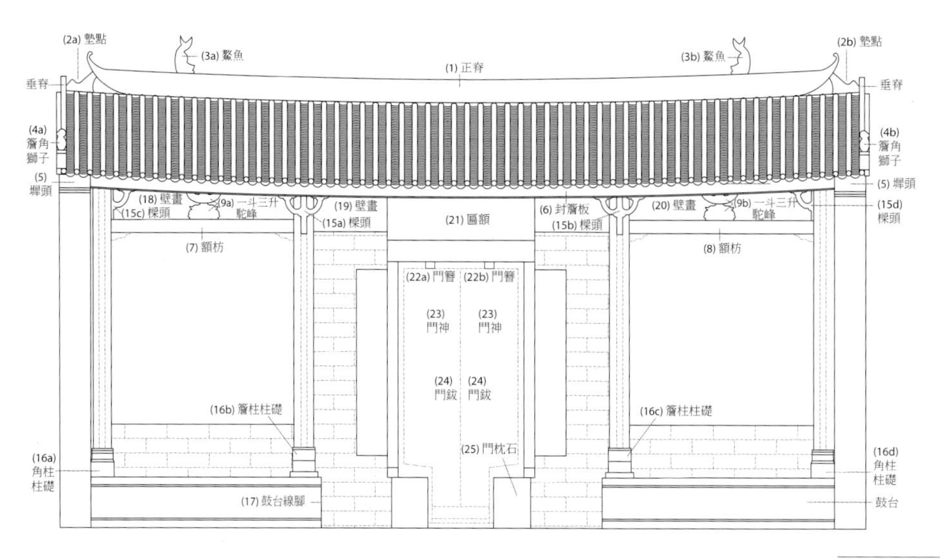

圖2-4A：愈喬二公祠一進前正立面圖

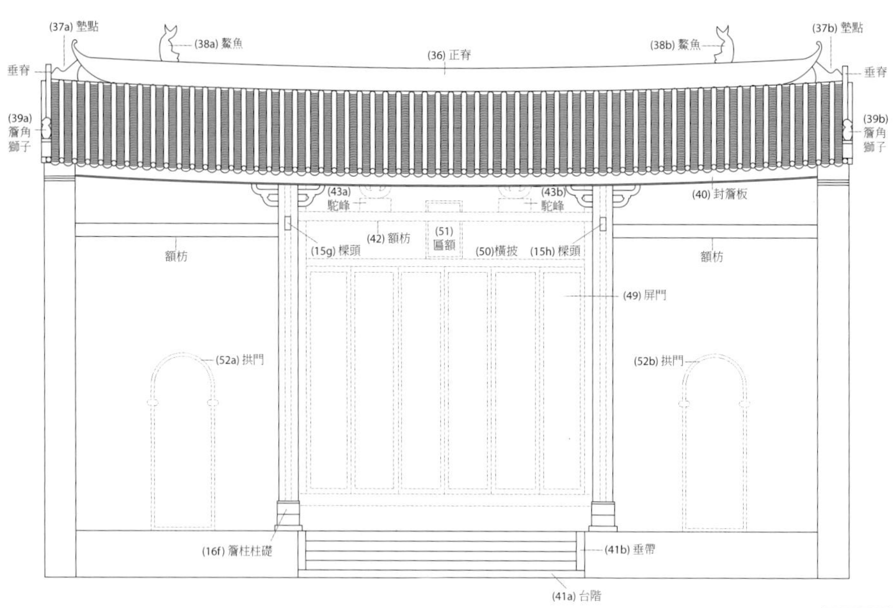

圖2-4B：愈喬二公祠二進前正立面圖

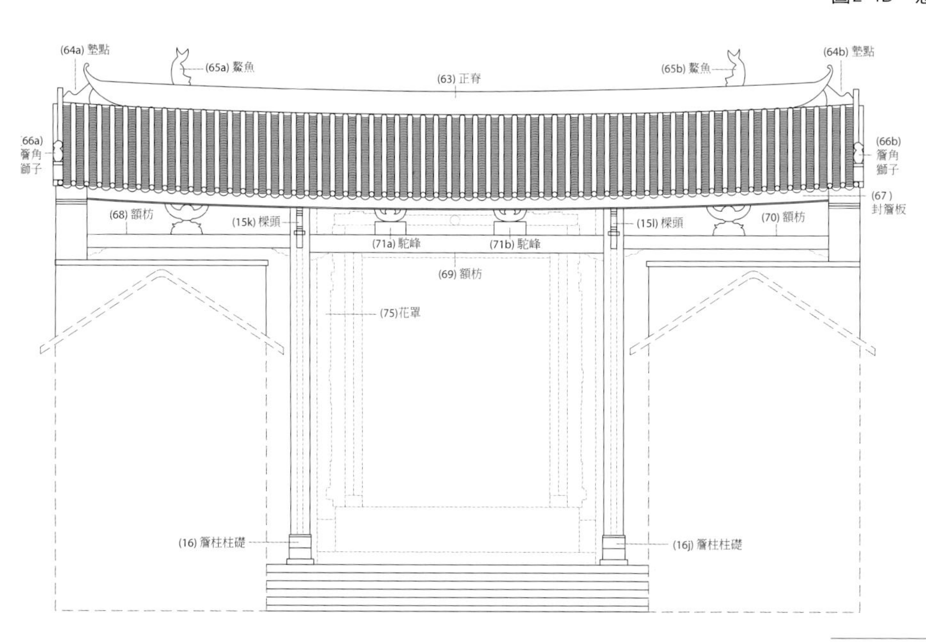

圖2-4C：愈喬二公祠三進前正立面圖

＊圖中有括弧的編號為各構件的位置編碼，這些編號將列於相關文字敘述的前端，以便讀者瞭解其分佈實況。

圖2-5：愈喬二公祠一進前正脊

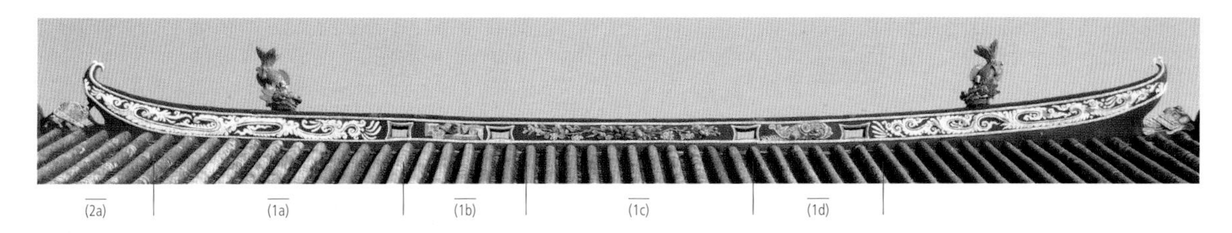

1a　正脊（一進前)及鰲魚

卷草/蔓帶；鰲魚（卷草象徵子孫世代綿長；鰲魚象徵一朝顯貴；水性吉祥物）。

1b　正脊（一進前）

錢眼、飛魚，似跨過障礙物、錢眼(寓意能排除萬難，得到成功）。

1c　正脊（一進前）

長春花、佛手柑、壽石、石榴、長春花（象徵「福壽雙全」）。

1d　正脊（一進前）

錢眼、鰲魚、海浪、陶瓶(古物)、錢眼(寓意平安及能長久地得到成功。

圖2-6：愈喬二公祠正脊末端墊點

2a　一進前右

一幅卷軸、蝙蝠、花卉（象徵福）。

27a　一進後左

石榴（象徵「榴開百子」）。

37a　二進前右

佛手柑（象徵福）。

54a　二進後左

桃（象徵長壽，前後結合，象徵「福壽雙全」）。

64a　三進前右

博古（象徵長壽）。

77a　三進後左

花瓶、鰲魚（象徵平安、「獨佔鰲頭」）。

圖2-7：愈喬二公祠鰲魚

3a　一進前右

38a　二進前右

65b　三進後左

鰲魚的頭像龍，有角，頭在下方，尾向上翹。第二進的魚尾以兩面泥塊貼成，後面可看到作支撐的橫條，為較早期款式。第一進和第三進的鰲魚已改為四瓣圍攏的魚尾，從後方觀察時，魚體更覺完整，屬後期款式。1980年代以前的歷史圖片顯示愈喬二公祠早期沒有鰲魚裝飾，現有的鰲魚該是後來加置的。鰲魚是水性吉祥物，象徵能一朝顯貴。

圖2-8：愈喬二公祠簷角獅子及墀頭

4a　簷角獅子（一進前右）

4b　簷角獅子（一進前左）及墀頭

28b　簷角獅子（一進後右）

39a　簷角獅子（二進前右）

55b　簷角獅子（二進後右）

66a　簷角獅子（三進前右）

78a　簷角獅子（三進後左）

一進前後的簷角獅子皆為藍色，獨角（是石灣陶獅的特徵），大耳，張口，口含黃綵帶，綵帶兩端繫花卉，一腳踏球，或一腳踏幼獅。獅子下有土黃色方底座，似是新製。第二進後及第三進前的獅子款式相同，只是獅身為綠色；二進前及三進後的獅子沒有方底座，口含白綵帶，部分獅身亦已損毀，似是舊作。獅子的作用是辟邪鎮宅；墀頭：貝葉（尚待考證），象徵有佛法庇佑。

圖2-9：愈喬二公祠瓦當及滴水

80　瓦當(三進)

81　滴水(三進)

牡丹花(綠色)(象徵富貴)。

圖2-10A：愈喬二公祠一進前封簷板

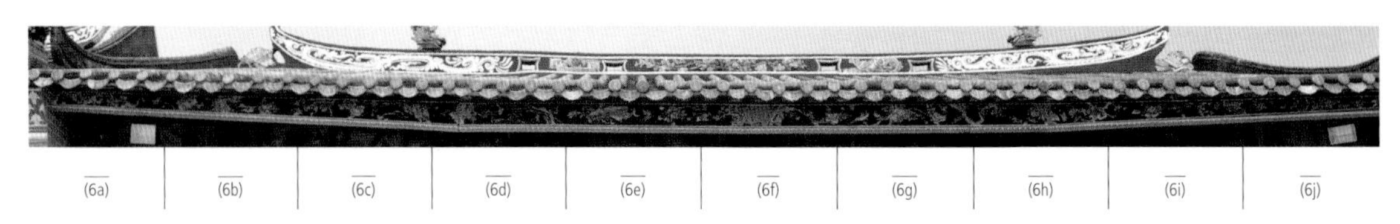

6a　封簷板 (一進前)

卷草、寶相花、二喜鵲、石榴 (象徵子孫世代綿長、多子)。

6b　封簷板 (一進前)

壽字牌、二蝠、祥雲、
牡丹花 (象徵福壽、富貴)。

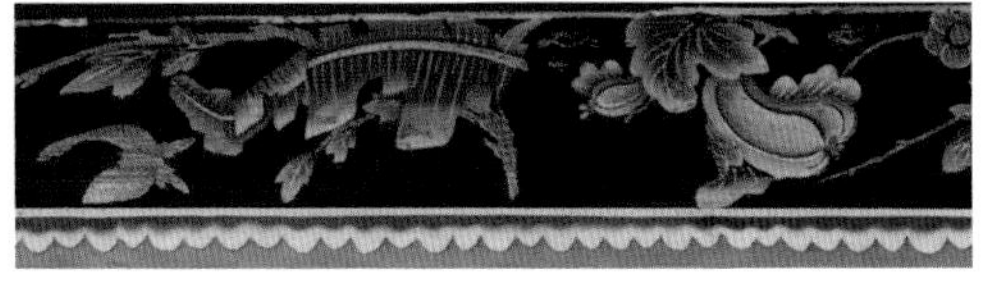

6b　封簷板 (一進前)

蝴蝶、芭蕉葉、瓜 (象徵多子)、
芭蕉葉 (象徵大業、「招」來福氣)
(康鍩錫，2007，177)。

6c　封簷板 (一進前)

蝴蝶、磬、山茶花(象徵春光)、
葡萄 (象徵吉慶、多子)。

6c　封簷板 (一進前)

竹、綬帶鳥、蜻蜓 (象徵滿清朝廷)
(象徵祝壽、清廉/官祿)。

圖2-10B：愈喬二公祠一進前封簷板

6d　封簷板（一進前）

菊花、古琴、蝙蝠、一幅卷軸，上書「文章…風流…千古」、拂塵、綬帶鳥。

(象徵長壽、崇古)。《孟頫行書集字楹聯》中見「文章千古事，得失寸心知」（聶文豪，2008，24)。拂塵最初是拂蚊的器具，後來成為佛教灌頂儀式使用的法器，象徵祛除一切煩惱、諸種罪惡和障難，逐漸演變成一種講授佛法的教學道具和顯示佛法尊嚴的器具(王建偉、孫麗，2005，149-150)。古人清談時常手執拂塵。戲曲劇中的隱士、僧道、神仙、妖怪、執用、太監、內侍等角色也常用(戲曲中「拂塵」又稱「雲帚」(吳同賓、周亞勛(編)，2007，75)。這裏應喻作隱士。

6e　封簷板（一進前）

二蝴蝶、芙蓉花、一幅卷軸，上書「吉祥如意」、牡丹花(象徵「富貴榮華」、「吉祥如意」)。

6f　封簷板（一進前）

喜鵲、二蝴蝶、如意；一幅卷軸，上書「芳草地…夏…綠荷…秋飲」；芙蓉花、三蝴蝶。

北宋・汪洙《四季》，原文：「春遊芳草地，夏賞綠荷池；秋飲黃花酒，冬吟白雪詩。」

夏天的荷葉茂盛，鋪滿荷塘，黃花酒是指菊花酒。菊花有白、綠、紅、紫等色，但以黃色為正品，所以古人習慣稱菊花為「黃花」(李漁(編撰)，1998，98-99)。這是描述四季的一首詩(象徵四季吉祥、多福、納喜)。

圖2-10C：愈喬二公祠一進前封簷板

6g　封簷板（一進前）

桃花（象徵長壽）、瓜(象徵多子)。

6h　封簷板（一進前）

蝴蝶（象徵福）、鯰魚（象徵「年年有餘」）；山茶花（春天的花，象徵長壽）。

6i　封簷板（一進前）

喜鵲、葡萄、松鼠（象徵多子）。

6j　封簷板（一進前）

壽字牌、如意、牡丹花、佛手柑（象徵福壽、如意、富貴）。

圖2-11：愈喬二公祠一進前右額枋

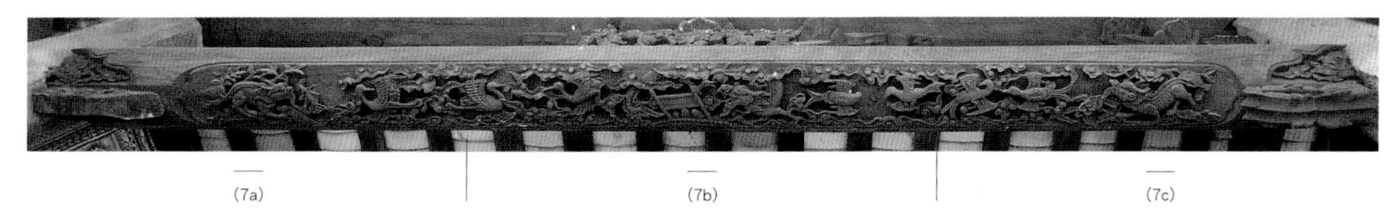

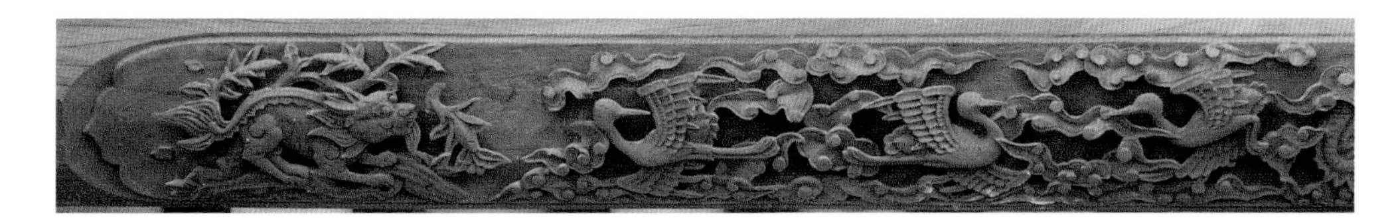

7a　右額枋（一進前）

麒麟（有角）、三鶴、祥雲（象徵文武官位）。

7b　右額枋（一進前）

禹門、鯉魚在禹門下，下有波浪、祥龍環繞禹門騰飛、祥雲，寓意「鯉躍龍門」（象徵登上龍門，一朝顯貴）。

7c　右額枋（一進前）

四燕子、麒麟（有角）（寓意「杏林春燕」及象徵官祿）。

圖2-12：愈喬二公祠一進額枋末端及樑托

7d　右額枋末端（一進前）

草龍（額枋末端）、卷草（樑托）。

圖2-13：愈喬二公祠一進前左額枋

8a　左額枋（一進前）

鹿、二麒麟(有角)(象徵官祿)。

8b　左額枋（一進前）

鹿、橋、馬、二喜鵲、梅花（象徵「馬上授祿」、「喜上眉梢」）。

8c　左額枋（一進前）

獅子(無角)(橫向，回顧)、錢(繫彩帶)、獅子(無角)（身體垂直向下)、鹿(回顧)（象徵「馬上封祿」、「官帶傳流」、「喜上眉梢」、「運轉乾坤」）。

圖2-14：愈喬二公祠一進前右駝峰

9a

上層：韓湘子、鍾離權、仙人騎鶴(中央)、呂洞賓、藍采和。
下層：張果老、何仙姑、一盤壽桃(中央)、曹國舅、鐵枴李（「八仙賀壽」，象徵有神仙庇佑)。

圖2-15：愈喬二公祠一進前左駝峰

9b

狀元騎馬，儀仗隊五人，前二人持槌，中央一人持羅傘，尾隨者其中一人捧卷軸，相信是有關狀元高中的榜文(寓意「狀元遊街」，希望能高中科舉考試)。

圖2-16：愈喬二公祠一進前左樑架穿插枋底

穿：鰲魚

穿插枋底：花卉

圖2-17：愈喬二公祠一進前右樑架 最下一層穿插枋底部

二鶴(上下反向)、花卉、寶相花、二鶴(正向)(象徵官祿、子孫世代綿長，「運轉乾坤」)。

圖2-18：愈喬二公祠一進前左樑架 最下一層穿插枋底部

二綬帶鳥(上下反向)、花卉、梅花、二喜鵲 (正向)(象徵長壽、喜慶、「運轉乾坤」)。

圖2-19：愈喬二公祠一進前左右樑架上的駝峰

14a 駝峰（一進前右樑架上）

卷草（象徵子孫世代綿長）。

圖2-20：愈喬二公祠樑頭

15b 左樑頭（一進前中央）

回顧的龍頭形

15c 右山牆側樑頭(一進前)

卷草

15e 左樑頭（一進後）

卷草

15g 右樑頭（二進前）

草龍（頭向前）

15i 右樑頭（二進後）

卷草

15k 右樑頭（三進前）

卷草

圖2-21：愈喬二公祠柱及柱礎

16c 左簷柱及柱礎（一進前）
二層八角

16d 左角柱及柱礎（一進前）
八角瓶形、下八角

16e 左簷柱及柱礎（一進後）
二層八角

16f 右簷柱及柱礎（二進前）
二層八角覆蓮

16g 右金柱及柱礎（二進前）
上圓柱、下八角

16h 左金柱及柱礎(二進後)
上圓鼓、下八角

16i 右簷柱及柱礎（二進後）
二層束腰八角

16j 右簷柱及柱礎（三進前）
束頂八角

圖2-22：愈喬二公祠鼓台線腳

17
右鼓台轉角線腳：竹節；平面：凸長方塊弧形凹角

圖2-23A：愈喬二公祠一進前右山牆及右簷牆壁畫

(18a) (18b) (18c)　(18d) (18e)　(18f)　(18g) (18h)

18a 壁畫 (一進前右山牆上層)

圖：牡丹花、二白頭翁(寓意夫妻白頭到老，幸福美滿)；

題字：「富貴白頭」(隸書)。

18b 壁畫 (一進前右山牆下層)

題字：「無情歲月增中減，有味詩書苦後甜。」(隸書)。

楹聯。慨歎歲月流逝，勉勵族人苦讀詩書，必有美滿成果。

(相信是近代之作)。

18c 壁畫 (一進前右山牆)

圖：道人、僕人、鶴、松樹、山)；

題字：「劈石栽松」「松已蒼山中，歲月去來長。烹餘一束靈芝草，分與僊禽作道糧」「於癸酉年冬」(行書)。

(癸酉年：同治十二年1873/1933/1993)。

描述仙家生活：閒來闢地種松，與仙鶴共享仙草，日子一天天地過，不亦樂乎 (象徵長壽及有仙家庇蔭) (似是近代之作)。

圖2-23B：愈喬二公祠一進前右簷牆壁畫

18d 壁畫（右簷牆上圖）

山茶花、水仙花。

山茶花和水仙花都是春天的花(象徵春天，「春光長壽」)。

18e 壁畫（右簷牆下圖）

題字：群賢畢至，少長咸集。此地有崇山峻嶺，茂林修竹。」「寫於春日□□偶□」(行書)。

採自晉朝王羲之的《蘭亭集序》。王羲之為著名的書法家。生於晉懷帝永嘉元年(307年)，卒於晉哀帝興寧三年(365年)。字逸少，琅琊臨沂(今屬山東)人，後遷居會稽(今浙江紹興)。曾歷任秘書郎、臨川太守、江州刺史、寧遠將軍、會稽內史、右軍將軍，所以後世又稱其為「王右軍」(路振平，2009，2)。

原文：「永和九年，歲在癸酉，暮春之初，會於會稽山陰之蘭亭，修禊事也。群賢畢至，少長咸集。此地有崇山峻嶺，茂林修竹；又有清流激湍，映帶左右，引以為流觴曲水，列坐其次。雖無絲竹管弦之盛，一觴一詠，亦足以暢敘幽情。是日也，天朗氣清，惠風和暢。仰觀宇宙之大，俯察品類之盛。所以遊目騁懷，足以極視聽之娛，信可樂也。……」(楊簾，2010，277-278)。

釋文：許多有見識和才氣的人都來了，包括有年輕的和年長的。這裡有高山和陡峭的山嶺，茂密的樹林和高聳的竹子。

內容描寫清幽的環境和聚集賢能之士對飲。寓意希望這祠堂的後人能成為賢能的人或能凝聚賢能的人。

18f 壁畫(一進前右簷牆)

八仙之四：呂洞賓(背劍)、曹國舅(拋拍板/響板/玉板)、何仙姑(荷葉)、韓湘子(笛子)。松樹(象徵有神仙庇佑)。

圖2-23C：愈喬二公祠一進前右簷牆壁畫

18g 壁畫（一進前右簷牆上圖）

題字：「旦夕都邑動靜清和，想足下使還，具時[州將]。桓公告慰，情企足下數使命也。」(草書)

採自晉朝王羲之的《十七帖》中第十五帖《旦夕帖》。原文為：

「旦夕都邑動靜清和，想足下使還，具時(是)州將。桓公告慰，情企足下數使命也。謝無奕外任，數書問，無他。仁祖日往言尋，悲酸如何可言？」(蔣崇無，2004，43-44)。

釋文：這是王羲之向好友周撫問好的書信。文章中描述京中一切如常，相信周撫出使回來，已具備升官的條件了。另外，文章提及好友桓溫聞訊後也表示欣慰，並祝願周撫能順利擔當要職(寓意對建功立業和升官的企盼)。

18h 壁畫（一進前右簷牆下圖）

圖：花瓶、牡丹、瓜、蓮葉(象徵「富貴平安」，多子多福)；題字：「富貴圖」(隸書)。

圖2-24A：愈喬二公祠一進前中央簷牆門上方壁畫

19a 壁畫（一進前中央門北側隔斷牆）

圖：菊花、二喜鵲；

題字：「明月細認，千叢雨洗，俄聞如面香團結，淡烟輝映壁。」(行書)。

描述雨夜的景致：意指在一個有月色的晚上，看着茂林經雨水洗刷，不久即嗅到一股凝聚的香氣，如在面前，淡淡的水氣與月影互相輝映，照到壁上。

(寓意欣賞自然美景，嚮往高雅的生活品味)。

圖2-24B：愈喬二公祠一進前中央簷牆壁畫

19b

19c

19d

19b
圖：二水鴨；
題字：「低昂水面，駢肩含萼，蕩漾波心連理枝。」(行書)。
描述水鴨的恩愛情況，寓意夫妻恩愛，婚姻美滿。由於「鴨」有「甲」字為偏旁，所以又寓意在科舉中取得三甲。

19c
圖：扇面外框
題字：「能言鳥代[舞]歌為骨，花不語因無力詩，朗潤松風詠仙。」(行書)。
意境與宋・蘇軾《松風亭下梅花盛開》相若，詩的原文：
「羅浮山下梅花村，玉雪為骨冰為魂。紛紛初疑月掛樹，耿耿獨與參橫昏。先生索居江海上，悄如病鶴棲荒園。天香國豔肯相顧，知我酒熟詩清溫。蓬萊宮中花鳥使，綠衣倒掛扶桑暾。抱叢窺我方醉卧，故遣啄木先敲門。麻姑過君急灑掃，鳥能歌舞花能言。酒醒人散山寂寂，惟有落蕊黏空樽。」(楊家駱(編)，1998，471)。
此詩與(19h)圖的松、鶴、月影的意境也相關。
用擬人法的描述花鳥松風，以烘托如仙家似的生活境界。

19d
圖：三蟹一蝦
題字：「無腸還有識，披甲且橫行。」(行書)。
蟹和蝦都有甲殼，因此寓意在科舉中取得三甲及仕途順利。
另外，紅樓夢中提及金代詩人元好問《送蟹與兄》詩：「橫行公子本無腸，慣耐江湖十月霜。」(蔡義紅，2001，248)。
《抱朴子內篇》中提及「無腸公子」，即是蟹。橫行，意指行為無所忌憚；無腸，意指沒有意興，無動於衷。對於江湖的風霜雨露，蟹兒都能淡然處之。

19e 壁畫(一進前中央簷牆)

「蒼龍教子」(象徵望子成龍)。

圖2-24C：愈喬二公祠一進前中央簷牆壁畫

19f 壁畫（一進前中央簷牆上層）

圖：圓形外框；

題字：「漁翁夜傍西岩宿，曉汲清湘然楚竹。」(行書)。

採自唐朝柳宗元《漁翁》，原文：

「漁翁夜傍西巖宿，曉汲清湘燃楚竹。煙銷日出不見人，欸乃一聲山水綠。回看天際下中流，巖上無心雲相逐。」(洪淑苓，2000，171-172)。

釋文：漁翁在傍晚歸來，把船停泊於西邊的山崖旁，早上起床，在湘江打水，燃點翠竹，生活悠然自得。

寓意：抒寫隱士之樂，對生活無憂，悠閒自在的企盼。

19g 壁畫（一進前中央簷牆下層）

圖：二水鴨、蘆葦（象徵「二甲傳臚」）；

19h 壁畫（一進前中央簷牆）

圖：松樹、二鶴。

題字：「宿鶴巢窩空落日，老龍牙爪欲拿雲，月來虬影當眸。」(行書)。

描寫日轉星移，光陰似箭，日月如梭。仙鶴象徵長壽，老龍仍有力氣騰雲弄月。寓意長壽，聯想有仙鶴和瑞龍來庇蔭。

19i 壁畫（一進前中央南側隔斷牆）

圖：喜鵲、梅花；

題字：「飄飄如雪夜，清香自是，寒梅獨占芳」「春日偶筆」(行書)。

歌頌耐寒的梅花，像雪一樣冒著嚴寒，獨自綻放，品格非凡。圖中一併繪出梅花和喜鵲，象徵「喜鵲登梅」、「喜上眉梢」或強調隆冬之意。

圖2-25A：愈喬二公祠一進前左簷牆及山牆壁畫

(20a) (20b) (20c) (20d) (20e) (20f) (20g) (20h)

圖2-25B：愈喬二公祠一進前左簷牆壁畫

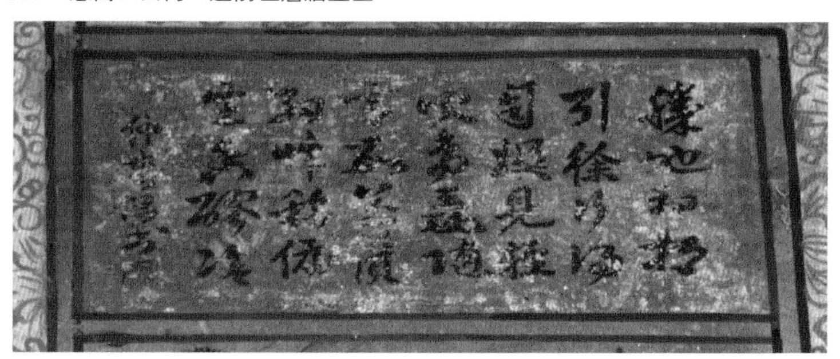

20a 壁畫(一進前左簷牆)

題字：「勝地初相引，徐行得自娛。見輕吹鳥毳，隨意數花鬚。細草稱偏坐，香醪冷。」「仲口偶書」(行書)。

採自唐朝杜甫《陪李金吾花下飲》，原文：

「勝地初相引，徐(余)行得自娛。見輕(累)吹鳥毳，隨意數花鬚。細草稱偏(偏稱）坐，香醪懶再酤(沽)。醉歸應犯夜，可怕李金吾。」(張式銘，1995，425)。

釋文：在這勝地與你一同賞花，我們緩緩而行，你卻對我不甚重視。鳥毳很輕，容易吹動。花鬚最細，數之極難。細草也安於它的位置。香醪用完即止，沒有醉客之心。你不怕犯了夜歸的禁例嗎？(王堯衢，2000，334)。

此詩的內容表達賓主不歡。這裏只選用當中數句，應強調不可忽視友情或朋友間相處之道。

20b 壁畫(一進前左簷牆)

圖：花瓶，瓶上書「一色杏花香十里」(行書)，瓶中插孔雀毛、珊瑚(即「翎頂輝煌」之意)；香爐(象徵香燈)，上昇輕煙內有蝙蝠(象徵「福星高照」)；菊花、蝴蝶；題字：「於浮山道人偶書」(行書)。

「一色杏花香十里」

宋・蘇軾《送蜀人張師厚赴殿試》二首之二：「雲龍山下試春衣，放鶴亭前送落暉，一色杏花三十里，新郎君去馬如飛。」(王文誥，1982，926-927)。

在「鄭谷曲江紅杏」中杏花被喻為是「春風及第花」(汪灝、張逸少，清/1987，8)。明・張新：「曲江池畔題詩處，燕子飛時花正開，報道狀元歸去也，馬頭春色日邊來。」(汪灝、張逸少，清/1987，10)。

新科進士在杏林宴後，到放鶴亭話別，隨後便飛快地回鄉報喜(象徵高中科舉，狀元及第)。

圖2-25C：愈喬二公祠一進前左簷牆壁畫

20c 壁畫（一進前左簷牆）

八仙之四：張果老(持魚鼓)、鍾離權(持扇)、藍采和(持花藍)、鐵拐李(持葫蘆)(象徵有八仙庇佑)。

20d 壁畫（一進前左簷牆上層）

圖：黃色的茶花、喜鵲(象徵春天)；題字：「寫於西軒主人畫意」(行書)。

20e 壁畫（一進前左簷牆下層）

題字：「是日也，天朗氣清，惠風和暢，仰觀宇宙之大，俯察品類之盛，所以遊目騁懷， 足以極視聽之娛，信可樂也。」(行書)。

採自晉朝王羲之的《蘭亭集序》。(上接另一端(20e) 的文章部分)

釋文：這日天氣晴朗，輕風徐徐吹來。抬頭看到浩瀚無邊的宇宙，低頭見到種類繁多的事物，使人眼界大開，胸懷舒暢，盡滿足視聽的享受，真是賞心樂事！

表達出對王羲之書法的熱愛和對大自然的讚賞。

20f 壁畫

圖：二人坐於石旁奕棋，一人持斧站在後方觀賞；

題字：「王質爛柯圖」「人說僊家日月遲，僊[仙]家日月轉堪悲。誰將百歲人間事，只換山中一局棋。」「海豐鄭漢鈞學筆」(行書)。

象徵長壽，有神仙庇蔭。

詩句出自明，張以寧(1301-1369)的「衢州詠爛柯山效宋體」二首，第一首(全明詩編輯編纂委員會，1991，338)。

有關爛柯的故事南朝梁文學家任昉(1987，620)在《述異記》的敘述如下：「信安郡石室山，晉時王質伐木至，見童子數人棋而歌，質因聽之。童子以一物與質，如棗核，質含之不覺餞。俄頃，童子謂曰：「何不去？」質起視，斧柯盡爛。既歸，無復時人。」

這神話廣見於香港的古建築壁畫，通常與祝壽題材相配。

20f
20g
20h

20g 壁畫

圖：月季花、二喜鵲；題字：「花香鳥語」「於癸酉初冬寫」(行書)。

20h 壁畫

題字：「觀釣頗逾垂釣趣，種花何問看花誰。」(篆書)。

釋文：無論觀棋、觀釣或賞花，不須理旁觀者是誰，世間事物都按既定規律進行。只是人間與仙界的轉變速度不同而矣。

意謂人應順應自然(象徵長壽)(似是近代之作)。

圖2-26：愈喬二公祠一進前匾額

21　遍額 (一進前)

紅漆陽刻「愈喬二公祠」、「光緒元黓敦牂葭月重修」，石製，石的四周沒有裝飾。

根據太歲天干釋名圖：爾雅太歲在甲曰閼逢，在乙曰旃蒙，在丙曰柔兆，在丁曰彊圉，在戊曰著雍，在巳曰屠維，在庚曰上章，在辛曰重光，在壬曰元黓，在癸曰昭陽。

太歲地支釋名圖：太歲在寅曰攝提格，在卯曰單閼，在辰曰執徐，在巳曰大荒落，在午曰敦牂，在未曰協洽，在申曰涒灘，在酉曰作噩，在戌曰閹茂，在亥曰大淵獻，在子曰困敦，在丑曰赤奮若 (李光地，清/1987，54)。

落款的年代季節以農曆計算：「端月」指正月(孟春)，「花月」指二月(仲春)，「桐月」指三月(季春)，「梅月」指四月(孟夏)，「蒲月」指五月(仲夏)，「荔月」指六月(季夏)，「瓜月」指七月(孟秋)，「桂月」指八月(仲秋)，「菊月」指九月(季秋)，「陽月」指十月(孟冬)，「葭月」指十一月(仲冬)，「臘月」指十二月(季冬)。

「光緒元黓敦牂」即光緒壬午年 (公元1882年) ；「葭月」重修即十一月重修。

圖2-27：愈喬二公祠一進前門簪

22a　門簪

方形凹角，金漆陽刻「福」字。

圖2-28：愈喬二公祠一進前門神

23　門神

武將，穿靠，靠肩飾鎖錦，靠腿飾魚鱗錦，腰下靠甲中央飾八仙中的四仙，包括藍采和、鐵拐李、鍾離權和呂洞賓等。肩上飾有含環獸頭。胸前有護心鏡，靠肚有多個團花，領上有結，似披了小斗蓬。袖口窄。背上插了四面三角形紅和綠色靠旗，上面書有「帥」字。斜披紫色蟒服(俗稱左文右武)，表示元帥閱兵點將。蟒服飾團花祥雲紋，中央有獸頭，像含着玉帶，獸口中另有紅色綵帶飄出，綵帶末端有蝴蝶結。寬袖口。肩部垂風帶，顯示其為神仙。掛黑虬髯(表示性格粗豪)。頭戴倒纓盔，綴四偏球，配有額子。足穿如意雲靴。腰間掛箭壺，內藏數箭(相傳為桃木製成，用作辟邪治鬼)。一手持劍，一手握鉞斧，斧面飾龍形。

相信是尉遲敬德和天將的融合造像。

武將，穿靠，靠肩飾魚鱗錦，靠腿飾鎖錦，腰下靠甲中央飾八仙中的四仙，包括何仙姑、張果老、曹國舅和韓湘子等。肩上飾有含環獸頭。胸前有護心鏡，護心鏡內有花卉圖案，靠肚有多個團花，領上有結，似披了小斗蓬。袖口窄。背上插了四面三角形紅和綠色靠旗，上面書有「帥」字。斜披綠色蟒服(俗稱左文右武)，表示元帥閱兵點將。蟒服飾祥雲紋，中央有獸頭，像含着玉帶，獸口中另有紅色綵帶飄出，綵帶末端有蝴蝶結。寬袖口。肩部垂風帶，顯示其為神仙。掛三綹黑鬚(表示其人文雅、清秀)。頭戴獅頭盔，有纓，綴四偏球，配有額子。足穿如意雲靴。腰間掛弓，一手持劍，一手握春秋刀，也叫大刀，刀背綴紅纓。

相信是秦叔寶或其他大將融合天將的造像。

圖2-29：愈喬二公祠一進前門鈸

24　門鈸

八瓣蓮花，中央有「囍」字（象徵「雙喜臨門」、「連生貴子」）。

圖2-30：愈喬二公祠一進前門枕石

25　門枕石

門枕石為方形，二門枕石間的地面上沒有石製的門檻，也沒有方形的凹槽(伏兔)，門楣上亦沒有設圓形的連楹榫眼，以裝置直栓杆。但門框左右下端有榫口可以讓木栓杆插入，以阻隔牲畜進入祠堂。大門下方有台階二級，在鼓台邊緣平排的位置另有一級，使其看來較鄧氏宗祠低一級。

圖2-31：愈喬二公祠一進後

紅砂岩甬道

圖2-32A：愈喬二公祠一進後正脊

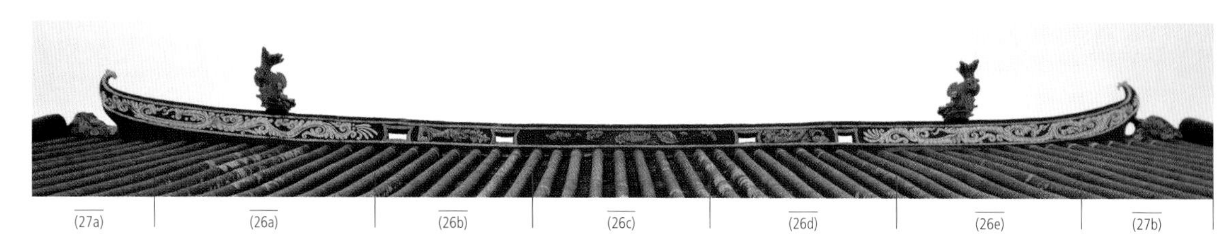

26a 正脊 (一進後)及鰲魚(3b)

卷草/蔓帶 (象徵子孫世代綿長)。

26b 正脊 (一進後)

錢眼、花瓶及花卉、錢眼(方角形帶狀物，上飾斜紋) (象徵平安)。

圖2-32B：愈喬二公祠一進後正脊

26c 正脊（一進後）

蓮花、蓮葉和蓮蓬（象徵「本固枝榮」或「連生貴子」）。

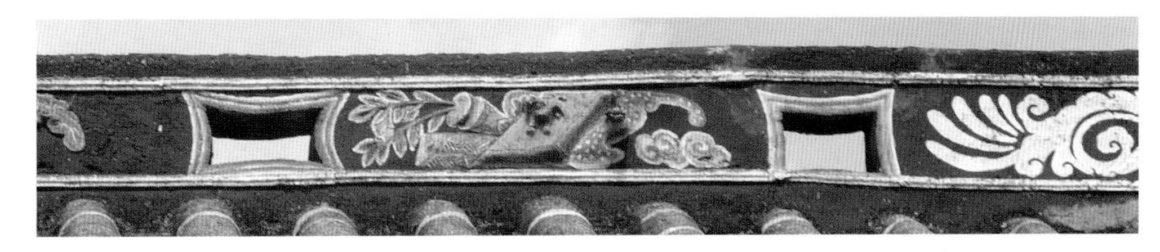

26d 正脊（一進後）

錢眼、花瓶、獅子、蝙蝠、祥雲、錢眼(象徵平安吉祥、福祿)。

圖2-33：愈喬二公祠一進後封簷板

如意紋（綠色，白邊，下紅直線）。

圖2-34A：愈喬二公祠一進後左額枋

(30a) (30b) (30c)

圖2-34B：愈喬二公祠一進後左額枋

30a 左額枋（一進後）

30b 左額枋（一進後）。

卷草/蔓帶（象徵子孫世代綿長）。

圖2-35：愈喬二公祠一進後中央額枋

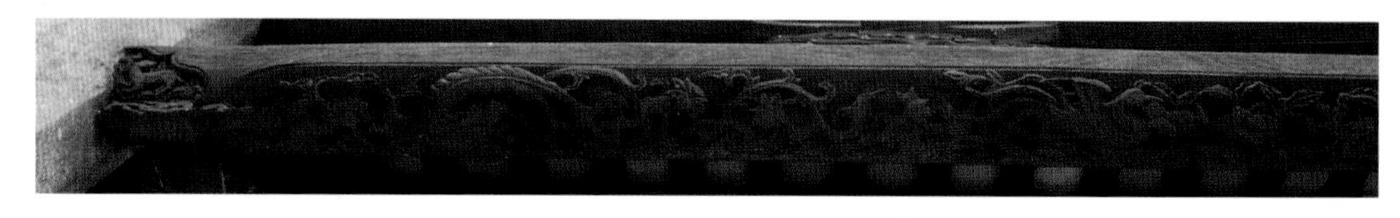

31a 中央額枋（一進後）

蝻龍、卷草。

31b 中央額枋（一進後）

鳳、花卉、鳳。

31c 中央額枋（一進後）

蝻龍、卷草(象徵「龍鳳呈祥」，子孫世代綿長)。

圖2-36：愈喬二公祠一進後中央額枋末端及樑托

32a 額枋末端（一進後中央額枋左端）

鹿（象徵官祿）；樑托：卷草(象徵子孫世代綿長)。

圖2-37：愈喬二公祠一進後右額枋

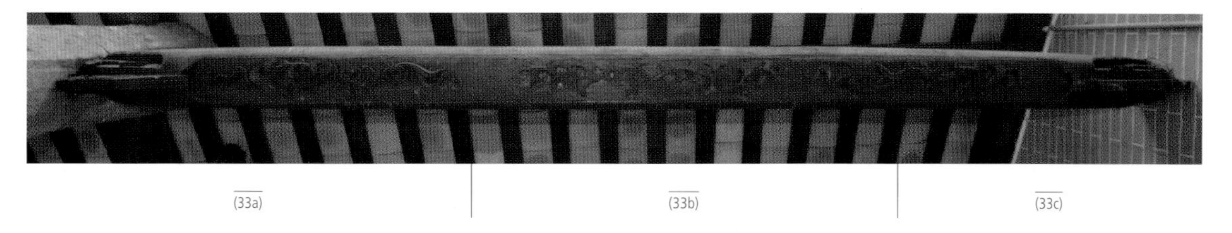

卷草/蔓帶 (象徵子孫世代綿長)。

33a 右額枋 (一進後)

33b 右額枋 (一進後)

31d 一斗三升及駝峰 (一進後中央額枋左)

卷草(麻葉頭) (象徵子孫世代綿長) 。

圖2-38A：愈喬二公祠一進後左樑架

圖2-38B：愈喬二公祠一進後左棵架

34a 穿插枋底部（一進後左棵架）

雙龍戲珠

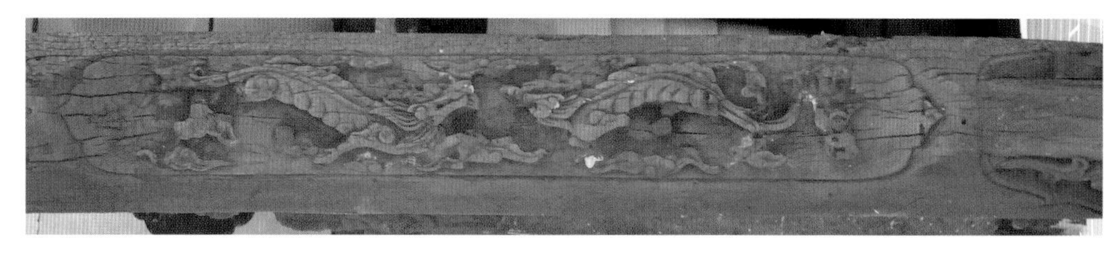

34b 穿插枋底部（一進後右棵架）

雲龍

圖2-39：愈喬二公祠一進後主棵及末端裝飾

35a 主棵左末端（一進後）

鰲魚（象徵獨佔鰲頭或一朝顯貴；水性吉祥物）。

圖2-40：愈喬二公祠二進前

圖2-41A：愈喬二公祠二進前正脊

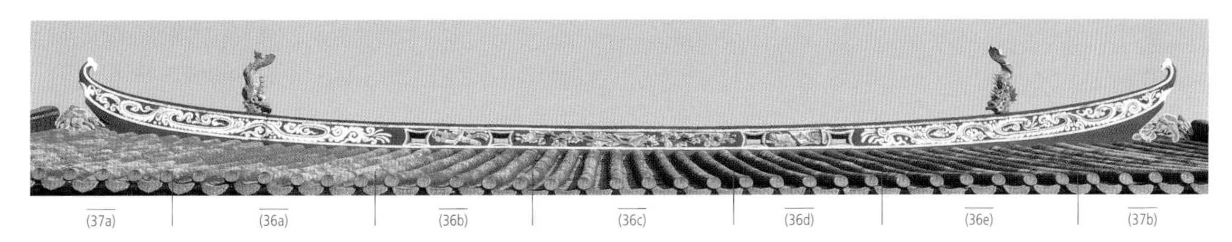

36a 正脊(二進前)

卷草 (象徵子孫世代綿長)。

37a 佛手柑(象徵福)。

36b 正脊(二進前)

錢眼、書、寶劍、蝙蝠、錢眼(象徵文武官祿、福祿。「書」是智慧的結晶，文化的傳承。「劍」代表正義。「書劍江山」象徵文功武備俱全，乃治國良才(康鍩錫，2007，137))。

圖2-41B：愈喬二公祠二進前正脊

36c 正脊(二進前)

牡丹、壽石、牡丹 (象徵「長命富貴」)。

36d 正脊(二進前)

錢眼、古琴、書(四藝之二)；福字、如意、錢眼 (象徵「福壽雙全」)。

圖2-42：愈喬二公祠二進前封簷板

40 如意紋 (藍色，白邊，下綠直線)。

圖2-43：愈喬二公祠二進前台階及垂帶

41a

台階：五級；

41b

左垂帶：凹角，角弧形。

圖2-44：愈喬二公祠二進前中央額枋及駝峰

圖2-45：愈喬二公祠二進前中央額枋

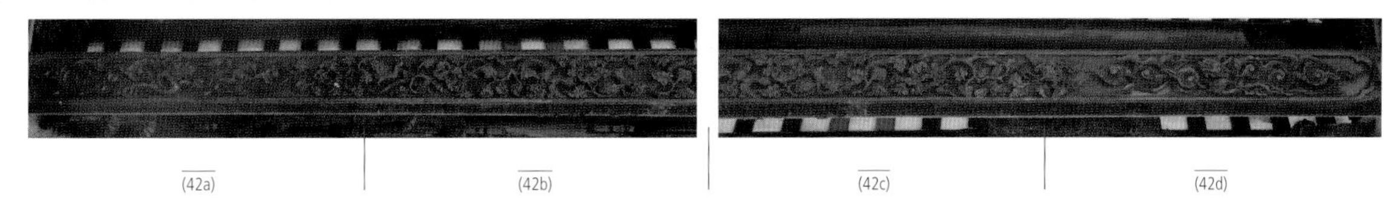

42b 額枋 (二進前中央)

鳳凰、寶相花、卷草。

42c 額枋 (二進前中央)

卷草、寶相花、鳳凰。

42d 額枋 (二進前中央)

草龍、卷草
(象徵「龍鳳呈祥」，夫妻恩愛)。

圖2-46：愈喬二公祠二進前中央額枋上駝峰

43a 右駝峰（二進前中央額枋）

花瓶、花卉、馬(配有馬鞍)、梅花鹿(象徵「馬上授祿」、「富貴平安」)。

43b 左駝峰（二進前中央額枋）

二飛鳥(一展翅，一合翼)、一熊(寓意「英雄會」，獲授文武官職)(參考覲廷書室釋文)。

圖2-47：愈喬二公祠二進前樑架

44b 左樑架（二進前）

龍/鰲魚形穿

圖2-48：愈喬二公祠二進前樑架上的駝峰

45a 駝峰（二進前右樑架上層）

二草龍

45c 駝峰（二進前右樑架下層）

二草龍

圖2-49：愈喬二公祠二進前中央右樑架

46a

圖2-50：愈喬二公祠二進前中央左樑架上的駝峰

圖2-51：愈喬二公祠二進前山牆內壁畫

48b 壁畫（二進前左山牆內）

卷草/蔓帶（象徵子孫世代綿長）。

圖2-52：愈喬二公祠二進前二門（屏門）

49

圖2-53：愈喬二公祠二進前二門上的橫披及匾額

50

橫披：風車紋。

51

匾額題字：「同治十年辛未科 欽點 翰林院庶吉士
臣鄧蓉鏡恭承」

圖2-54：愈喬二公祠二進廊門及門頭灰塑

52c 門頭灰塑（二進右廊門後）

卷草（象徵子孫世代綿長）。

圖2-55：愈喬二公祠二進後

圖2-56A：愈喬二公祠二進後正脊

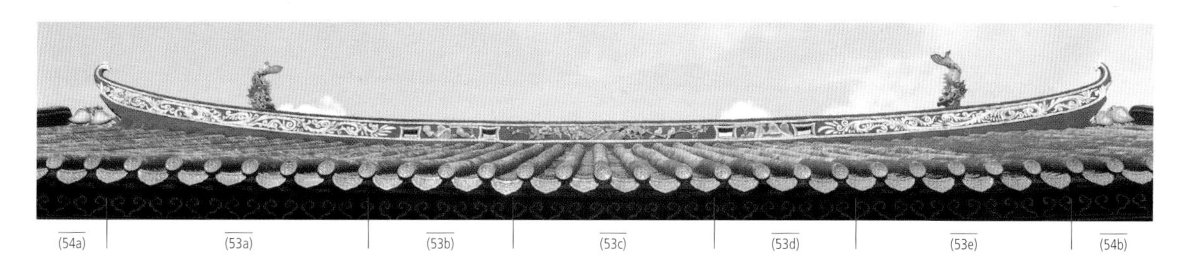

53a 正脊(二進後)

卷草/蔓帶 (象徵子孫世代綿長)。

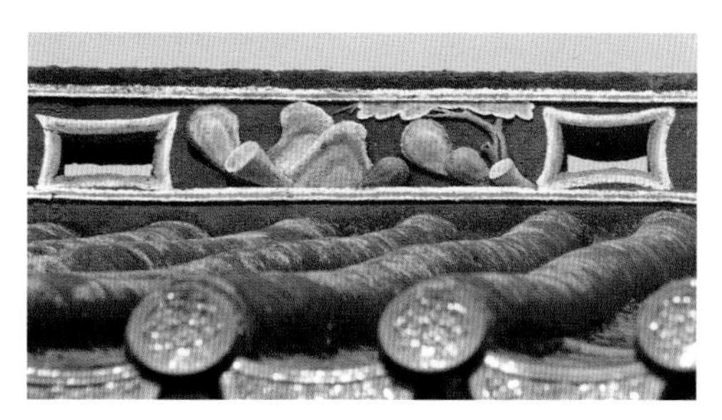

53b 正脊 (二進後)

錢眼、山、石、樹、錢眼(象徵長壽)。

圖2-56B：愈喬二公祠二進後正脊

53c 正脊 (二進後)

牡丹花、綬帶鳥、壽石、玉蘭花、喜鵲 (象徵「長命富貴」、同喜)。

53d 正脊 (二進後)

錢眼、山、石、樹、錢眼(象徵長壽)。

圖2-57：愈喬二公祠二進後封簷板

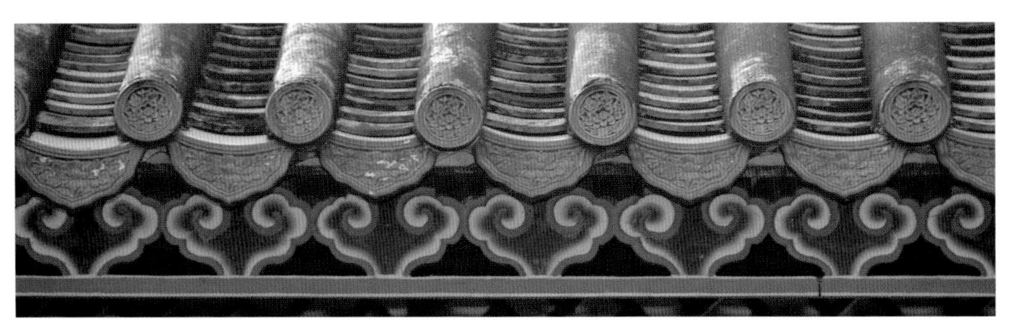

56 如意紋 (藍色，白邊，下綠直線)。

圖2-58：愈喬二公祠二進後山牆內壁畫

57b 壁畫 (二進後左山牆內)

卷草 (象徵子孫世代綿長)。

圖2-59：愈喬二公祠二進後樑架及駝峰

58a 右樑架(二進後)

圖2-60：愈喬二公祠二進後駝峰

59d 駝峰 (二進後右樑架下層)

卷草(象徵子孫世代綿長)。

圖 2-61：愈喬二公祠二進後廂廊

60a 北(右)廂廊 (二進後)

圖 2-62：愈喬二公祠二進後廂廊封簷板

61a 封簷板(二進後南廂廊東端)

回紋(綠色)、末端卷草，白邊，

下藍直線 (象徵子孫世代綿長)。

圖2-63：愈喬二公祠二進後廂廊上的漏窗

中央：海棠；中心：柿蒂；

四角：如意 (象徵「事事如意」/「滿堂如意」)。

圖2-64：愈喬二公祠三進前

圖2-65A：愈喬二公祠三進前正脊

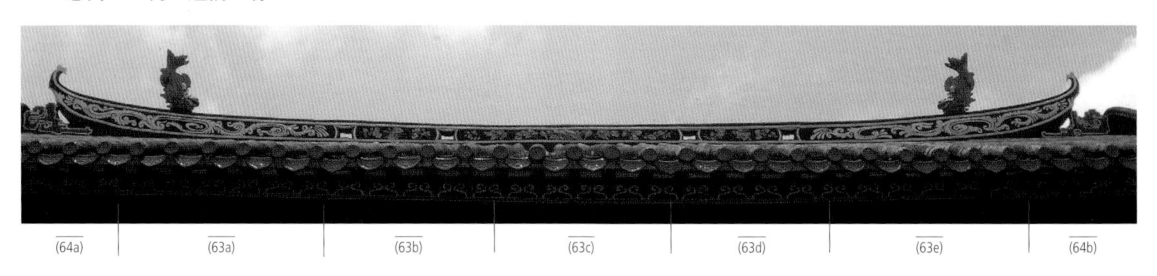

63a 正脊(三進前正脊)

卷草/蔓帶 (象徵世代連續不斷)。

64a 墊點

博古(象徵博學古書或長壽)。

63b 正脊 (三進前正脊)

錢眼、瓜、葉、錢眼(象徵「瓜瓞綿綿」，多子)。

圖2-65B：愈喬二公祠三進前正脊

63c 正脊（三進前正脊）

月季花、壽石、綬帶鳥（象徵長壽）。

圖2-66：愈喬二公祠三進前封簷板

67 如意紋（紅色，白邊，外加綠邊，下綠直線）。

圖2-67：愈喬二公祠三進前右額枋

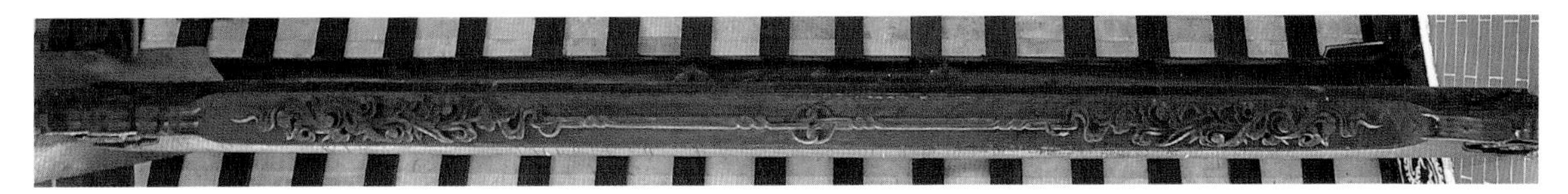

68 卷草/蔓帶，中央以繩結連繫在一起（象徵子孫世代綿長）。

圖2-68A：愈喬二公祠三進前中央額枋

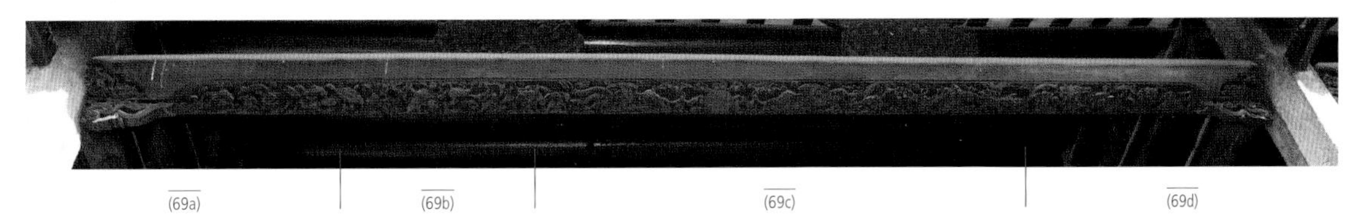

69a 中央額枋（三進前）

卷草、寶相花、二鴨、三鴨、蓮花、蓮蓬、蓮葉、石榴（象徵「二甲傳臚」、「喜得連科」、「連生貴子」，子孫世代綿長）。

69b 中央額枋（三進前）

麒麟(側站)、鹿(倒轉)、二鳥(倒轉)、寶相花（象徵文武官祿、「運轉乾坤」）。

圖2-68B：愈喬二公祠三進前中央額枋

69c 中央額枋（三進前）

鳳、太陽、祥雲、鳳、花卉（象徵「丹鳳朝陽」、「有鳳來儀」，「天下太平」）。

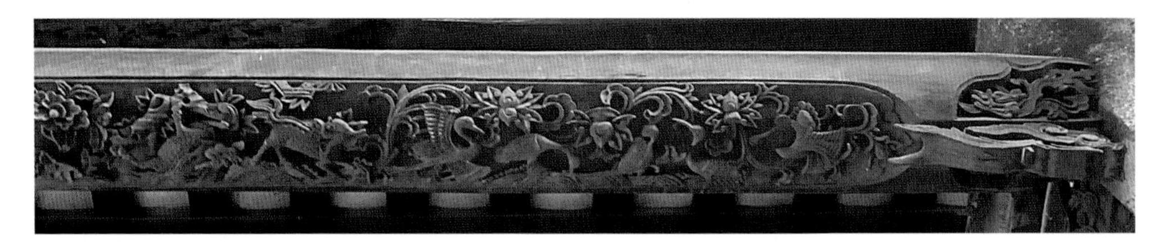

69d 中央額枋（三進前）

麒麟(身體垂直向上)、麒麟(側身回顧)、鳥(展翅向外)、寶相花、鳥(喝水)、鳥(回顧)、鳥(昂首向內)、鳥(展翅倒轉)（象徵文武官祿，「百鳥朝鳳」、「麟子鳳雛」、「運轉乾坤」）。

圖2-69：愈喬二公祠三進前左額枋

70 卷草/蔓帶，中央以繩結連繫在一起（象徵子孫世代綿長）。

圖2-70A：愈喬二公祠三進前中央額枋

71a 右駝峰（三進前中央額枋）

龍、虎（象徵龍精虎猛/藏龍臥虎/龍蟠虎踞）。

藏龍臥虎：「北周詩人庾信《同會河陽公新造山池聊得寓目》詩：『暗石疑藏虎盤根似臥龍。』本是描寫景物，後多用來比喻潛藏着未被發現的人才或不同尋常的人。」（羅青(等)，2003，37）。

龍蟠虎踞：出自《太平御覽》一五六《吳錄》。相傳諸葛亮出使吳國，「到金陵(今南京)，對孫權說：『秣陵地形，鐘山龍蟠，石城虎踞，此帝王之宅。』後人以龍蟠虎踞形容地勢雄壯險要，一般用以喻帝都氣象雄壯。……京劇中常用以喻一家父子或兄弟都是似虎如龍般的英雄豪傑」（羅青(等)，2003，252）。

寓意希望子孫具不凡的潛能和能成為英雄豪傑。

圖2-70B：愈喬二公祠三進前中央額枋

71b 左駝峰（三進前中央額枋）

猴、鹿、花卉（象徵「封侯授祿」）。

圖2-71：愈喬二公祠三進前樑架及駝峰

72a 右樑架(三進前)

圖2-72：愈喬二公祠三進前樑架上的駝峰

73d 駝峰（三進前左樑架下層）

卷草、如意祥雲
(象徵子孫世代綿長、如意吉祥)。

圖2-73：愈喬二公祠三進前樑架最底穿插枋

74b 穿插枋(左樑架最底)

卷草/蔓帶（象徵子孫世代綿長)。

圖2-74A：愈喬二公祠三進花罩

75a 橫披（三進）

柿蒂/海棠、十字如意（象徵「事事如意」、「如意在堂」）。

75b 花罩(三進頂部)：

博古、桃、瓜、瓜、卷草、寶相花、卷草、瓜、瓜、桃（象徵「福壽雙全」、「子孫萬代」）。

佛手柑（花罩側）

寶相花（花罩中央）

圖2-74B：愈喬二公祠三進花罩

（花罩側）
博古、桃、瓜、瓜、佛手柑、瓜
（象徵「福壽雙全」、「子孫萬代」）。

圖2-75：愈喬二公祠三進後

圖2-76A：愈喬二公祠三進後正脊

76b 正脊(三進後)

錢眼、二高山、中央拱橋、錢眼(象徵「壽比南山」，或高山尋橋過(如龍躍頭天后廟牆頭灰塑)，困難得以解決)。

76c 正脊 (三進後)

花卉、壽石、花卉(象徵長壽)。

76d 正脊(三進後)

山、中央拱橋 (象徵「壽比南山」，或高山尋橋過，困難得以解決)。

圖2-76B：愈喬二公祠三進後正脊

76e　正脊（三進後）及(65a)鰲魚

卷草/蔓帶（象徵子孫世代綿長）；鰲魚（象徵一朝顯貴）。

圖2-77：愈喬二公祠外牆灰塑

79b　灰塑（一二進間左側牆東）

79c　灰塑（二進山牆西博縫）

79f　灰塑（二三進間側牆東）

79h　灰塑（三進山牆博縫東）

卷草/蔓帶（象徵子孫世代綿長）。

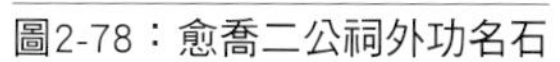

圖2-78：愈喬二公祠外功名石

題字：「道光丁酉科中式舉人鄧勳猷立」

述卿書室

屏山古建築裝飾題材

圖3-1：述卿書室一進前

建築沿革

述卿書室位於屏山塘坊村，是鄧述卿的兒子惠育和惠成為了紀念父親而興建的。在述卿書室門樓上匾額刻有「同治甲戌仲冬之月」，顯示該書室是在同治十三年(1874年)建成。

鄧述卿的父親鄧瑞泰(屏山20傳)乳名錦昌，字獻可，號輯伍，生於清乾隆丁酉年(1777年)，終於清道光辛卯年(1831年)。原為芝蘭(國香)的長子，後過繼夢月。在嘉慶甲子年(1804年)考得武舉人第十五名，任職揀選衛守府武略騎尉。鄧瑞泰有六子：連興、添興(號述卿)、進興(勳猷)、四興、田興(經猷，號覲廷)、佛興。鄧添興又名作猷，字朝選，號述卿(屏山21傳)是鄧瑞泰的次子，生於嘉慶庚午年(1810年)，卒於咸豐丙辰年(1856年)，享年47歲，為邑庠生，授贈文林郎。

述卿生二子，長子鄧惠育(屏山22傳)，又名寶琛，字粵彥，號賚臣。生於道光甲午年(1834年)，卒於同治乙丑年(1865年)，享年32歲。於同治甲子年(1864年)考得鄉進士(文舉人)第四十一名，授文林郎揀選縣正堂。在鄧氏宗祠前有一旗座，相傳是紀念惠育考取鄉進士的，旗座側有一大一小的一對無字的石碑，不知是否與惠育相關。述卿次子鄧惠成，又名大成，字駕彥，號鈞石，為武庠生(秀才)，生於道光丁酉年(1837年)，卒於光緒丙戌年(1886年)，享年50歲。兄弟二人在同治年間籌建書室，以紀念其父，可惜寶琛不久後離世，大成花了九年的時間，才把述卿書室建成 (鄧聖時，1993，17)。在屏山鄧族文物館中藏有一幅清同治十一年(1872年)祝賀母親鄭氏七十一大壽並晉封為正七品太孺人的賀帳，下款便是鄧大成。

述卿書室一進前的壁畫書有「光緒口亥年孟秋并題」字樣(按：光緒元年是乙亥年1875；光緒十三年是丁亥年1887；光緒廿五年是己亥年1899)，不知這些壁畫是在同治十三年奠基後翌年繪上，或是在數十年後重修時繪成。

建築結構

述卿書室是二進一院式建築，天井間(庭院中)有二廂房及中央一牌樓。這建築大部份在1977年已拆卸，只餘下門樓的簷牆、屋頂和山牆部份。現時建築的簷廊鼓台上已加建了房屋，加建的部分佔簷廊的一半高度，門樓後面亦加建了房屋。

屋頂是硬山式，正脊翹角形，上面沒有鰲魚，垂脊前也沒有簷角獅子。房屋前有簷廊，兩側有抬樑式的木樑架，樑架上有駝峰。門額枋與其他廣東式建築一樣(如廣州陳氏書院和香港銅鑼灣天后廟)用石材製成，額枋上設有石製的額枋獅子，根據其他古建築的資料，如銅鑼灣天后廟，這位置的獅子稱為「看樑獅子」。這石獅子背上肩負着三角形的石刻栱托，上面飾卷草和寶相花(其他建築大多為倒飛的蝙蝠形)。中央兩側簷柱上的樑頭用石製成，稱為「朝階」(石製「看樑獅子」和「朝階」均是嶺南建築的特色)。「朝階」分上下二層(一般嶺南建築只有一層)，上層為獅子，下層為提著卷軸的童子浮雕石像，有別於常見的朝階組合題材，如日、月神；狀元遊街與天姬送子；或太師與侯爵朝階。與宗祠一樣，大門的面積頗大，門框下有大型的門枕石，門柱線腳有精美的獸首雕刻，門神的服飾及繪畫也自成一格，在細節上十分考究，是極精美典雅的嶺南建築例子。

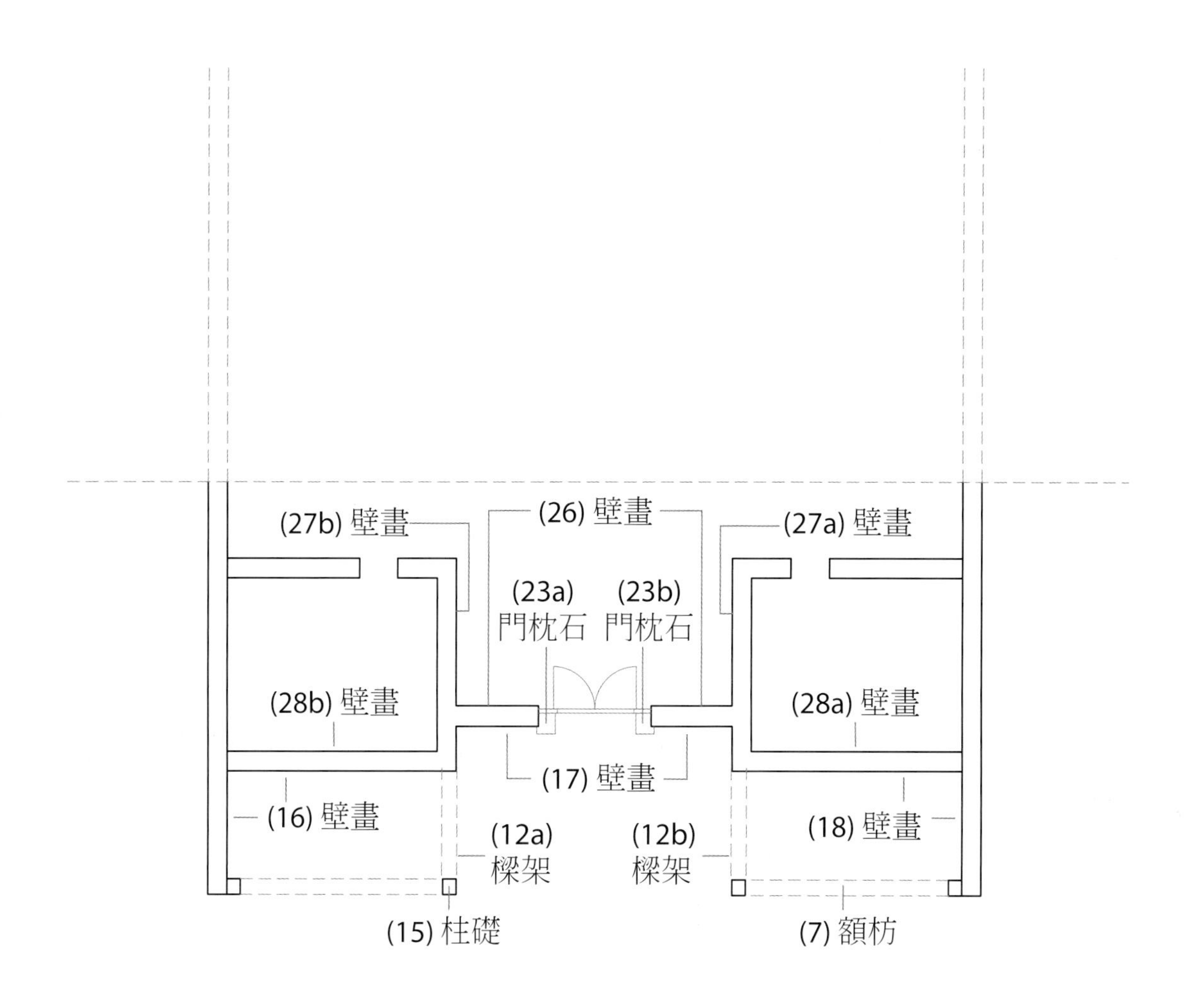

圖3-2：述卿書室平面圖

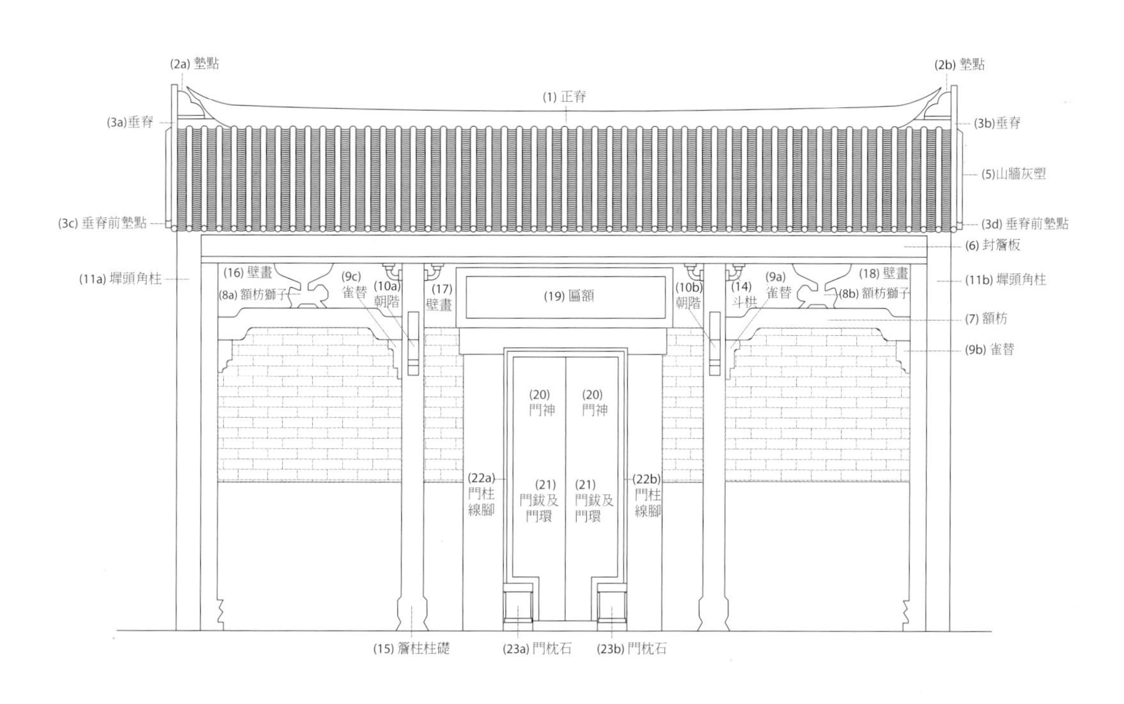

圖3-3：述卿書室一進前正立面圖

＊圖中有括弧的編號為各構件的位置編碼，這些編號將列於相關文字敘述的前端，以便讀者瞭解其分佈實況。

圖3-4：述卿書室一進前正脊

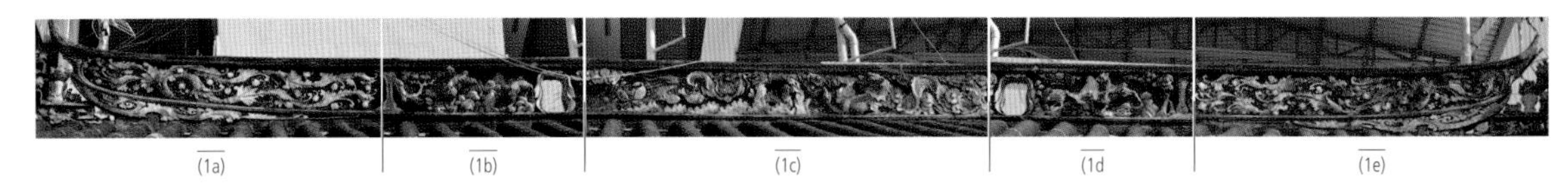

1a　正脊 (一進前)

卷草/蔓帶 (象徵子孫世代綿長)。

1b　正脊 (一進前)

松樹、大獅、小獅、瓜形鏤孔(寓意欲得「太師、少師」官位，即官祿)。

1c　正脊 (一進前)

太陽祥雲、二蟹、二魚、禹門、魚化龍、雲龍 (象徵「二甲傳臚」、「鯉躍龍門」)。

1d　正脊 (一進前)

瓜形鏤孔、太陽祥雲、鳳凰、麒麟、樹 (象徵「麟子鳳雛」、「旭日初升」，升官)。

圖3-5：述卿書室一進前正脊末端墊點

2b　墊點（一進前正脊左末端）

博古、佛手柑、花、瓶、桃、鹿、三腳蟾蜍、蝠（象徵福祿壽、財富、富貴平安）。

圖3-6：述卿書室一進前垂脊

3a　右垂脊（一進前）

卷草/蔓帶（象徵子孫世代綿長）。

3c　墊點（一進前右垂脊前）

紅色祥雲（象徵吉祥）。

圖3-7：述卿書室一進前瓦當

瓦當：綠色牡丹花（象徵富貴）（沒有滴水）。

圖3-8：述卿書室一進左山牆

5a　垂脊下端(一進左山牆)

卷草

5b　垂脊頂端(一進左山牆)

卷草

5c　博縫(一進左山牆)

梅花、山茶花、壽石(象徵「春光長壽」)。

5d　山花(一進左山牆山尖)

博古、古陶瓶(有蓋，瓶腹上有含環獸頭)、一小陶瓶(內插樹枝)(象徵平安)；一小石瓶(內插蓮花蕾及孔雀毛(象徵「一品清廉」)；古琴、一幅卷軸畫、書、棋盤(四藝)；寶劍(象徵「劍膽琴心」：比喻既有情致，又有膽識)、拂塵(象徵神仙庇佑)、三腳蟾蜍(象徵財富)、楊桃、桃、壽字牌、二杯連蓋、蝴蝶(象徵福祿壽三多)。

圖3-9A：述卿書室一進前封簷板

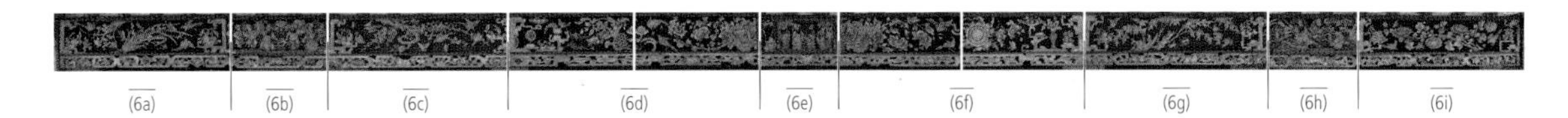

6a　封簷板(一進前)

博古架、佛手柑、喜鵲、蘭花、四蝴蝶、蘭花、二喜鵲、石榴、博古架 (象徵多子(蘭花喻優秀的子孫)、多福、多喜)。

6b　封簷板(一進前)

二兵卒，其一打戰鼓，另一持羅傘，一長鬚將領，持槍。一外邦將領，袒胸、虬髯，持三叉。另有三番兵，其一持羅傘，一拿刀子和盾牌，一人吹響戰號。

相信是描述郭子儀平外亂的戰事：

郭子儀是唐朝名將，生於公元697年，卒於781年，享年八十四歲。郭子儀考獲武舉後出任北部邊疆防衛軍，直至五十八歲(公元754年)時才得到朝廷賞識，多次平定內亂和外患，功績顯赫，經歷四朝，被封為汾陽王；德宗還尊他為尚父，加太尉中書令(苑士軍，1997，312-320)。圖中的將領掛長鬚，顯示他出仕的年齡；有羅傘隨行，凸顯他的顯貴的身分；虬髯者象徵莽頓的性格；特別的頭飾顯示外邦人的身分。

6c　封簷板(一進前)

瓜、豆、五喜鵲、三蝴蝶、梅花 (象徵多福、多子、多喜及「喜上眉梢」)。

圖3-9B：述卿書室一進前封簷板

6d 封簷板(一進前)

博古架、壽字牌、瓜、二喜鵲、佛手柑、二福、花籃、桃、山茶花、如意、芙蓉花、一幅卷軸山水畫、壽字牌 (象徵多福、多壽、多喜、平安如意、榮華)。

6e 封簷板(一進前)

花瓶形洞門、僕人奉酒、文人穿學士衣，戴學士巾(有鬚)、文官捧杯，持摺扇(有鬚，戴方翅官紗，飾花)、侯爵捧杯，持扇(有鬚，帽飾花，紅官服，應為高級官員)、文官捧杯，持摺扇(無鬚，戴方翅官紗，飾花，應為新科狀元)、妻子替丈夫整冠(象徵代代出仕，「帶子上朝」、「官帶傳流」的喜慶情況)。

6f 封簷板(一進前)

一幅卷軸山水畫、壽字牌、牡丹花、二綬帶鳥、倒轉蝴蝶、壽牌、石榴、魚鼓、月季花、蝴蝶、博古架、三葫蘆、花瓶、牡丹花、瓜 (象徵「福壽雙全」、「富貴榮華」、「多福多壽」(多子即多福)「福到平安」)。

圖3-9C：述卿書室一進前封簷板

6g　封簷板(一進前)

博古架、佛手柑、二燕子、竹有竹筍、蝙蝠、青蛙、三燕子、葫蘆、博古架，(象徵祝福、「杏林春燕」(燕子報道登科的喜訊)、蝙蝠 (蝠兒與官音類似，象徵官祿)、蛙(同娃音，象徵子孫)。蛙有冬眠春甦的習性，即指生命之始。另外，蛙又被稱作「月精」。由於蛙有周而復始，生命輪迴之性，因而成為生的吉祥物 (陶思炎，2003，248-249)(寓意多福多祿)。

6h　封簷板(一進前)

李世民持槍，跨上日月驌驦馬。秦叔寶持二鐧，程咬金持斧，尉遲敬德持槍，持旗手。

《說唐後傳》第一回：「秦元帥興兵定北，唐貞觀御駕親征」

北番赤壁寶康王犯唐，唐太宗御駕親征，護國公秦叔寶掛帥領兵，魯國公程咬金手提開山大斧，尉遲敬德提槍，掛劍懸鞭，一馬當先，直奔白良關下(曾平琨(編)，清/1993，389-393)。寓意大唐得各賢臣相助，得享盛世。寓意此書室武將人才輩出。

6i　封簷板(一進前)

博古架、楊桃、綬帶鳥、蝴蝶、菊花、倒轉蝴蝶、綬帶鳥、瓜、博古架 (象徵多子、「福壽雙全」)。

圖3-10：述卿書室一進後封簷板中央部分（現藏於秀才故居）

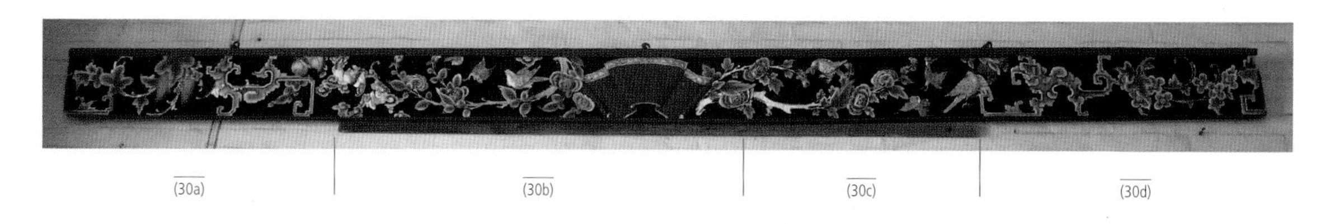

30a 封簷板（一進後）

30b 封簷板（一進後）

卷草(象徵子孫世代綿長)。

30c 封簷板（一進後）

30d 封簷板（一進後）

博古、瓜及花、拐子龍、桃、二蝙蝠、祥雲、山茶花、蝴蝶、喜鵲、一幅卷軸、牡丹花、二蝴蝶、二喜鵲、拐子龍、瓜及花、博古(象徵多子、「福壽雙全」)。

圖3-11：述卿書室一進前左額枋

石額枋取一個弓形的造型，稱為「月梁」，石匠叫作「蝦公梁」(廣東民間工藝術學院博物館，1994，187)。

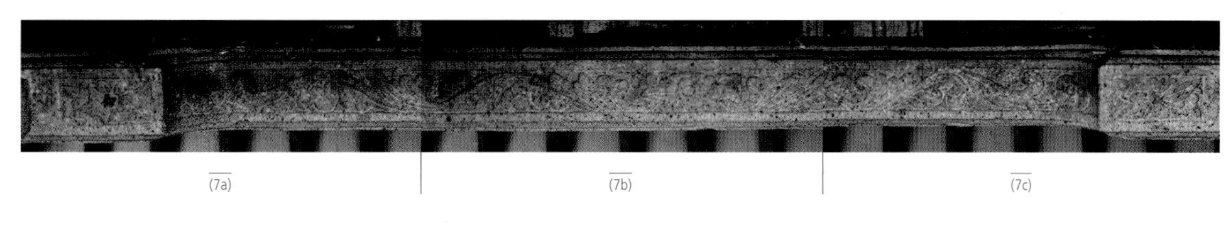

7a　左額枋（一進前）

7b　左額枋（一進前）

卷草（象徵子孫世代綿長）。

圖3-12：述卿書室一進前額枋獅子和雀替

8b　額枋獅子，又稱「看梁獅子」（一前左額枋）

獅子（作用是辟邪鎮宅）；卷草、寶相花（象徵子孫世代綿長）。

9a　雀替（左額枋右下）

博古、卷草（象徵子孫世代綿長）。

圖3-13A：述卿書室一進前朝階

10a 右朝階 (正面)

上層：獅子；

下層：童僕，手持卷軸，卷軸上書「三田和合」。

10b 左朝階 (正面)

上層：獅子；

下層：童僕，手持卷軸，卷軸上書「招財進寶」。

「丹田」「謂出生金丹造化之田也。」是中國古代人體科學的一種概念。在太極拳內功中，丹田分佈在身體的三個位置：「上丹田」位於頭部兩眉中間；「中丹田」位於心窩部；「下丹田」位於腹部臍下(余功保，2006，78)。

道教相信上丹田有九宮闕，悉相通貫，是貯藏真精之處。這裏有二條脈，夾脊降下至關元，關元可通往臟腑及四肢筋脈，使上下呼應。

中丹田管心肺肝，所以號稱生之府，為真神所依附，所以要修持自己的身心，才得安靈。

下丹田在「臍下三寸氣海」。「沖和者，一氣榮，榮氣混衛氣，故名和氣。其氣運轉於五臟四肢，常湊於下丹田。故曰氣海也。」上丹田的真精，經過中丹田的心念降至下丹田，化解和氣，人的元氣便會受損。「三田和合」是指精氣配合，互相協調的境界(王西平，1991，126-128)。

(可能與善財童子有關，參閱清暑軒閣樓正廳駝峰)。

圖3-13B：述卿書室一進前朝階

10a 右朝階（背面）

樹

10b 左朝階（背面）

樹

圖3-14：述卿書室一進前墀頭角柱

11a 右墀頭角柱（一進前）

牡丹花、鳳凰、牡丹花。

11b 左墀頭角柱（一進前）

龍、魚化龍、牡丹花。

（象徵「龍鳳呈祥」，一朝顯貴）（這一種以陽雕方式和覆蓋大部分墀頭角柱的裝飾方法，在香港古建築中，少見同類例子）。

圖3-15：述卿書室一進前樑架

12a 右樑架前

12b 左樑架前

12b 左樑架後

穿(鰲魚)、穿插枋及駝峰。

圖3-16A：述卿書室一進前駝峰

13a 駝峰（右樑架下層）

侍衛、尉遲敬德(尉遲恭)(虬髯，表示性格粗豪魯莽)、程咬金(紅袍、虬髯)、唐太宗(黃袍、五髯)、文官徐茂公(藍官服、五髯)、秦叔寶(五綹長髯，表示年長和較溫文)。

「取帥印」

「唐太宗命秦瓊掛帥平北後，又欲征高麗。會瓊病，擬以尉遲恭代之。程咬金力言尉遲恭粗暴，不勝任。太宗不聽。翌日，太宗率徐勣、尉遲恭等，至秦瓊處探病，兼取帥印。秦瓊不得已，以印交恭，然借端呵斥，有意為難。恭志在兵符，忍氣吞聲，唯唯而退，動臣軋鑠，太宗亦無如何也。」(劉爭義(編)a，1915/1990，257)。

此建築的設計者對唐朝武將特別鍾愛，這是其中一個例子。

圖3-16B：述卿書室一進前駝峰

13b 駝峰（左樑架上層）

持刀侍衛、侍衛、武將、椅子、太監、宮中仕女三人

秦王得勝，班師回朝，唐高祖封贈功臣，御賜眾功臣建造「麒麟閣」。殷、齊二王不忿，在麒麟閣對面私造「升仙閣」。受了程咬金的慫恿，尉遲敬德打上「升仙閣」，並命家將把它拆毀，把閣內的家具雜物都打得粉碎(曾平珉(編)，清/1993，377)。

此圖與(13a)為一對，都是關於唐開國功臣秦叔寶和尉遲敬德的故事，二人被廣泛地應用在門神的造像中。這裏凸顯尉遲敬德莽撞的性格，以發洩對奸惡者之不忿。

13c 駝峰（右樑架下層）

女將(持扇)、男少將、官員、霸王/戴霸盔武將、持拂塵道長/師爺、舉鼎少年、家丁/武弁

相信此圖是描述「舉鼎觀畫」(雙獅圖)劇中薛蛟上　龍山(寒山)拜見薛剛夫婦，並以舉鼎顯示自己的實力，旁邊應是魯莽的薛葵，薛剛側有一穿官服的官員(可能是暗助薛剛的程咬金)，另一人為寨中的獻策者/師爺，最末者為侍從(建築裝飾中常把戲曲故事中，不同場景的人物濃縮在一起，以便點出故事的關鍵人物)。

圖3-16C：述卿書室一進前駝峰

13d 駝峰 (左樑架下層)

三侍衛或隨從、一長鬚者、一年青人正拱手拜別、山上一侍衛。

此圖應與(13c)為一對。

薛蛟離家往找臥龍山(寒山)薛剛夫婦。薛蛟舉鼎(獅)時只有十二歲，與圖中年青人身分較胞合，及後他前往山寨與薛剛夫婦會合，也與圖意相合。

圖中站在對岸橋上者所戴的是學士帽，不是官紗；所穿的也不是官衣(束袖)，因此不應在袍下端繪上「潮水江芽」的式樣。

圖3-17：述卿書室一進前斗栱

14 斗栱

圖3-18：述卿書室一進前右廊柱柱礎

15 柱礎 (右簷柱)

層疊方瓶形，頸腳纖細，底蝙蝠形(廣州陳氏書院(建成於清光緒二十年(1894年)也有這款式的柱礎，陳氏書院的柱礎高身、細束腰，並飾以多重優美的線條，令柱礎修長輕巧，秀氣典雅(黃淼章，2006，59)。

圖3-19A：述卿書室一進前右山牆及右簷牆壁畫

16a 右山牆

16b 右簷牆

16c 右簷牆

16d 右簷牆

16a 壁畫 (一進前右山牆內)

侍從、虬髯客、李靖、紅拂女，題材：「風塵三俠」(象徵友誼、和諧，參看清暑軒閣樓正廳駝峰)。

16b 壁畫 (一進前右簷牆)

三腳蟾蜍，口吐一線，一青年(掛孩童髮，赤腳)吹笛子(「劉海戲蟾」，象徵財富)。

劉海是五代時人，根據元劉志宏、謝西蟾《金蓮正宗仙源像傳・海蟾子》載：劉海姓劉，名操，字宗成，號海蟾子。燕山人，官至上相。一次遇上一道人(正陽子，即鍾離權)。這道人把一枚金錢放在桌子上，然後再把十隻雞蛋和十枚錢疊在一起，雞蛋並沒有墮下。劉海說：「這很危險啊！」道人回應道：「你的身體和性命的危險程度比這更甚呢！」說罷，把蛋和錢擲在地上。劉海得到頓悟，遂辭官、易道衣、散盡財富、狂舞遠遊。由於有疊卵疊錢之戲，而劉海又號「海蟾子」，所以後世轉化為「劉海戲金蟾」；而「金蟾」又與「金錢」音相近，故變為「劉海戲金錢」。劉海遂成為送財的吉祥人物(陶思炎，2003，234-235)。另外，也有傳說謂劉海用銅錢把三足金蟾從井中釣上來(康鍩錫，2007，237)，這亦成為常見的劉海「耍錢」造像。在這建築的正脊墊點也見三腳蟾蜍。

圖3-19B：述卿書室一進前右簷牆壁畫

16c 壁畫(一進前右簷牆)

題字(位於中央)：八仙圖；側有蕉葉圖；

題材：八仙過海，各顯神通；

上層人物：何仙姑、呂洞賓(持劍)、鍾離權、騎在驢子上和手持魚鼓的張果老

下層人物：曹國舅(位於下角，響板飛到天空中，即在畫面上方)、韓湘子吹橫笛 、藍采和頭頂花籃及鐵拐李(背著拐杖和葫蘆，騎在龍背上並握著龍角)、蝦丞相(有蝦鬚及蝦鉗)、二夜叉(一持叉、一持螺)、鯰魚。

八仙鬧東海是常見的建築裝飾題材，這一幅是極富戲劇性和生動有趣的繪畫。相傳八仙共赴瑤池向西王母祝壽，途經東海。呂洞賓提議各仙以法寶投海擺渡，得到眾仙響應，煞是熱鬧。龍宮太子垂涎八仙的寶貝，奪走其一。這裏應是奪走了響板。八仙大怒，與各水族兵將大戰，最後由太上老君調解，雙方言和，同赴瑤池(完顏紹完，1997，107)。

(象徵賀壽或能解決困難；八仙的法寶象徵驅邪禳災)。

16d 右簷牆

樹

圖3-20A：述卿書室一進前中央詹牆壁畫

三多、即多福、多壽、多子。祝頌福壽延綿不絕，子裔綿長，幸福如意。

九如取自《詩經》卷九的「小雅」「鹿鳴之什」「天保」中的第三節：「天保定爾、以莫不興。如山如阜，如岡如陵，如川之方至(或至首)，以莫不增。」及第六節：「如月之恆，如日之升，如南山之壽，不騫不崩，如松柏之茂，無不爾或承」的九個「如」字。意為天地四方、山川松柏皆好，即九方如意。「三多九如」是祝賀吉祥幸福之意(王延海，2000，370-371；王慶豐，1990，171)。

17b 壁畫(一進前中央詹牆)

圖：老翁持杖，杖上有葫蘆，背後有一隻鹿、松樹。紮頭巾者向老翁呈一圓形物。「圓」諧音「元」，中國古代科舉制度中，鄉試、會試、殿試的第一名為解元、會元、狀元（寓意「三元及第」）；

題字：「三多九如五星圖」(行草)。

17c 壁畫(一進前中央詹牆)

童僕持戟，「戟」與「吉」諧音；另一童僕持如意，如意上懸掛著幾個石榴(寓意如意、多子)。

圖3-20B：述卿書室一進前中央簷牆壁畫

17d 壁畫(一進前中央簷牆)

老翁衣服上飾有瓜、葉圖案(象徵福)。

門上有壽字裝飾，老翁衣服上飾有壽字花紋，旁有一鷺鷥。一隻鷺鷥與福星、壽星組成的圖案叫「一路福星」，祝願遠行的人此去幸運。

圖3-20C：述卿書室一進前中央左右隔斷牆/隔間牆壁畫

17a 壁畫(中央右隔斷牆/隔間牆)

圖：三隻雁、壽石；

題字：「春圃」「余芳」(行書)。

壽石象徵長壽。三為吉祥數。《詩經・小雅・鴻雁》《注》云：「大曰鴻，小曰雁。」雁是季候鳥，每年都按季節歸來，不失其節。而且都由年長者帶領，長幼有序，所以作為「贄」(見面禮)的象徵。另外由於雁行有序，也喻作官員的班列，或喻兄弟。鴻雁來去有時，行止有序，與傳統倫理文化脗合。

與雁有關的典故還有是「雁塔題名」：

唐朝韋肇及第後在長安慈恩寺雁塔中題名，因此把殿試及第稱「雁塔題名」(喬繼堂，1993，84-85)。

17e 壁畫(中央左隔斷牆/隔間牆)

圖：玉蘭樹、三隻烏鴉；

題字：「余芳」(行書)。

玉蘭樹意即「玉樹臨風」，比喻美好男子；玉蘭花又稱木筆花，寓意「必得其壽」。

三為吉祥數。

烏鴉象徵孝道，如唐・白居易《慈烏夜啼》：

「慈烏失其母，啞啞吐哀音，晝夜不飛去，經年守故林。夜夜夜半啼，聞者為沾襟，聲中如告訴，未盡反哺心。百鳥豈無母，爾獨哀怨深？應是母慈重，使爾悲不任。昔有吳起者，母歿喪不臨。嗟哉斯徒輩，其心不如禽！慈烏復慈烏，鳥中之曾參。」

圖3-21A：述卿書室一進前壁畫

18a 左簷牆

18b 左簷牆

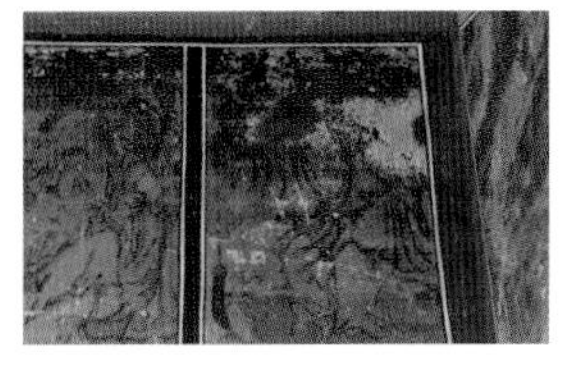

18c 左簷牆

18d 左山牆

18b 壁畫(一進前左簷牆)

圖：男子抱古琴及提著蠟燭，仕女持茶壺侍奉在側，老翁執筆像在壁上題字。童子戴太子盔，持如意棒，棒上掛燈，燈上有「李白」二字。九位男士正圍在桌邊閱讀文章，桌上點有蠟燭。

題字：「會桃李於芳園，祝天倫之樂」「光緒(乙/丁/己)亥年孟秋并題 余清園」(行書)

(乙亥1875、丁亥1887、己亥1899)。

出自唐・李白《春夜宴桃李園序》，原文：

「夫天地者，萬物之逆旅。光陰者，百代之過客。而浮生若夢，為歡幾何？古人秉燭夜遊，良有以也。況陽春召我以煙景，大塊假我以文章。會桃李之芳園，序天倫之樂事。群季俊秀，皆為惠連；吾人詠歌，獨慚康樂。幽賞未已，高談轉清。開瓊筵以坐花，飛羽觴而醉月。不有佳作，何伸雅懷？如詩不成，罰依金谷酒數。」

圖中人物正飲酒作詩，男女老少共聚一堂。天倫是指父子、兄弟關係。寓意希望家中老少能團聚在一起，樂序天倫，詩禮全家。

圖3-21B：述卿書室一進前壁畫

18c 壁畫(一進前左簷牆)

三腳蟾蜍，口吐如意雲，一童子手提一串錢 (題材：「劉海戲蟾(錢)」，象徵財富)。

18b 壁畫(一進前左山牆)

畫中共有四人，二人手持擔挑，上掛果籃及花籃，像拜訪親友。旁邊有二人，一人持盒，另一人持禾稻 (題材：「和合二仙」，象徵兄弟和睦，夫妻恩愛和諧 (參考鄧氏宗祠壁畫(17c))。

圖3-22：述卿書室一進前匾額

19　匾額

「同治甲戌仲冬之月」(同治十三年（1874年）)、陽刻「述卿書室」、陰刻「黃敬佑書」、印章，中央刻有「福祿壽」三字。金漆凸字，有卷草邊飾，門框上沒有門簪。

圖3-23：述卿書室一進前門神

20　門神

武將，穿靠，靠肩及靠腿均飾鎖錦(人字錦)。胸前中央有金色的坐龍，龍口張開。領上有結，似是三角巾。背上插了四面方形米色靠旗，旗上沒有文字。斜披綠色行龍蟒(俗稱左文右武)，表示元帥閱兵點將。蟒服飾祥雲紋和一隻較小的金色行龍，二龍均有四爪，龍身蟠繞全蟒服間(象徵蒼龍教子)，武將腰間掛紅色玉帶。臉上掛五綹黑鬚(表示其人文雅、清秀)。頭戴倒纓盔，盔頂有立叉，叉下有倒纓，配有額子。足穿如意雲頭高方靴。蟒服下端(即下擺部分)飾祥雲和蟒水。下層的蟒水是江水，稱為立彎水；上層為卧水(全組裝飾稱作海水江崖，又叫水腳，象徵江山社稷)。武將一手撚鬚，一手放在腰後，似按著刀柄。面露笑容，一派成竹在胸之勢。

蟒是帝王將相的官服，綠色的蟒服是忠勇的漢子穿用。

武將，穿靠，靠肩及靠腿均飾魚麟錦。胸前中央有金色龍頭的坐龍，龍口張開。領上有結，似是三角巾。背上插了四面方形綠色靠旗，旗上沒有文字。斜披紅色行龍蟒(俗稱左文右武)，表示元帥閱兵點將。蟒服飾祥雲紋和二隻較小的金色行龍，三龍均有四爪，龍身蟠繞全蟒服間(象徵蒼龍教子)，武將腰間掛紅色玉帶。臉上掛五綹黑鬚(表示其人文雅、清秀)。頭戴倒纓盔，盔頂有立叉，叉下有倒纓，配有額子。足穿如意雲頭高方靴。蟒服下端飾祥雲和蟒水。下層的蟒水是江水，稱為立彎水；上層為卧水(全組裝飾稱作海水江崖，又叫水腳，象徵江山社稷)。武將一手撚鬚，一手放在腰後，似按著刀柄。面露笑容，一派成竹在胸之勢。

紅色的蟒服是強王、狀元、駙馬和其他高官穿用。戲曲中劉備曾穿紅蟒。

圖3-24：述卿書室一進前門環/門鈸

21　門鈸

獸頭，額上有一角，閉口含環，底部為六瓣蓮花形，花瓣上有六顆釘子。

應為傳說的龍生九子之一的椒圖，形似螺蚌，性好閉，故立於門鋪首(資料摘自明朝褚人穫的《堅瓠集》及胡承之的《珍珠船》，轉引自野崎誠近，1927/2000，408)。

圖3-25：述卿書室一進前門柱線腳

22b　左門柱線腳 (一進前)

有雙眼、鼻子，張口，只見上顎的牙齒，雙耳，耳後見鬃毛的獸面形。(有辟邪鎖宅的作用) 獸面在門框轉角的下端，體積細小，容易令人忽略。

圖3-26：述卿書室一進前門枕石

23a　右門枕石(一進前)

23b　左門枕石(一進前)

方形，分三層凹入，轉角線腳為竹形，前面為官扇形，側面方框內有圓形果實 (荔枝) 和桃子等 (象徵祝壽、官祿)。

圖3-27：述卿書室一進後正脊

24a 正脊（一進後）

卷草/蔓帶（象徵子孫世代綿長）。

24b 正脊（一進後）

月季花、壽石（象徵長壽）；瓜形鏤孔（象徵多子）。

24c 正脊（一進後）

山水、橋、塔（寓意「海屋添壽」）。

24d 正脊（一進後）

瓜形鏤孔（象徵多子）；牡丹花、壽石（象徵「長命富貴」）。

圖3-28：述卿書室一進後正脊末端墊點

24a 墊點 (一進後正脊末端左)

博古、佛手柑、花、瓶、桃、蝙蝠、三腳蟾蜍、祥雲、如意、瑞獸 (象徵福祿壽、財富、富貴平安)。

圖3-29A：述卿書室一進後中央簷牆壁畫

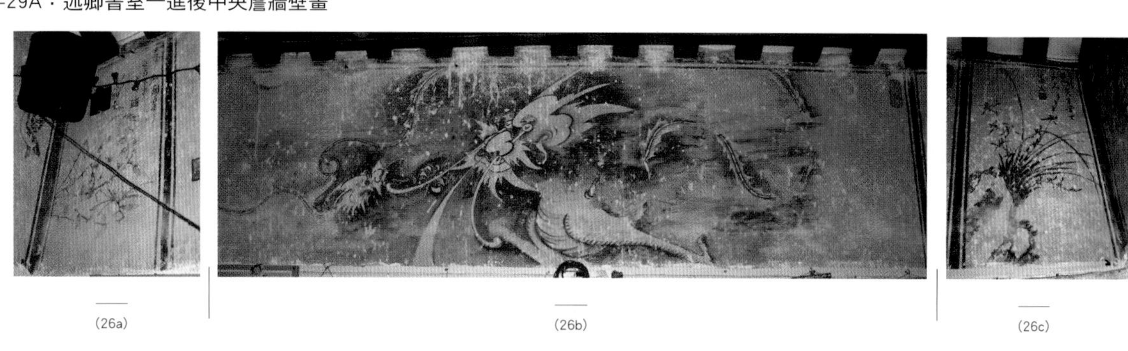

(26a) (26b) (26c)

26b 壁畫 (一進後中央簷牆)

一大龍一小龍 (象徵「蒼龍教子」、「教子朝天」)。

圖3-29B：述卿書室一進後中央簷牆壁畫

26a 壁畫（一進後中央簷牆）

圖：菊花；

題字：重陽未到菊先開，壽比南天(草書)。

宋・陸游《偶得雙鯽》原文：

酒興森然不可回，重陽未到菊先開。一雙鱍刺明吾眼，催喚厨人斫鱠來。

26c 壁畫（一進後中央簷牆）

圖：蘭花；

題字：至(林)如只半書生

少元 春圃畫（草書）。

圖3-30A：述卿書室一進後隔斷牆壁畫

27a 壁畫（中央左隔斷牆/隔間牆）

鳥、蓮花、如意、如意形磬，二如意間為一尾鯰魚、壽字牌（寓意「年年有餘」、「年年如意」、「吉慶年年」）。

磬是佛樂中使用的法器，寺院中使用的磬，有圓磬、扁磬和手磬。扁磬呈雲板形，有通訊的作用，磬的音調清悅平和，令人肅然起敬(王建偉、孫麗，2004，65-66)。另外「磬」與「慶」同音，常與「戟」一起，象徵「吉慶有餘」。

如意原是作為抓癢的器物，後來演變為象徵吉祥和威儀的用具(王建偉、孫麗，2004，146)。如意是皇帝賞賜臣下之物，也是大臣進宮時所持的笏板造型(康鍩錫，2007，98)。如意的頭部形狀，有說像靈芝或祥雲，有一說像篆書的「心」字，也有一說是龍爪形。無論如何，都是希望能如願以償。

圖3-30B：述卿書室一進後隔斷牆壁畫

27b 壁畫 (中央右隔斷牆/隔間牆)

笛子、花籃內置牡丹花、山茶花 (寓意「長春富貴」；或八仙之韓湘子、藍采和)。

圖3-31：述卿書室一進後簷牆壁畫

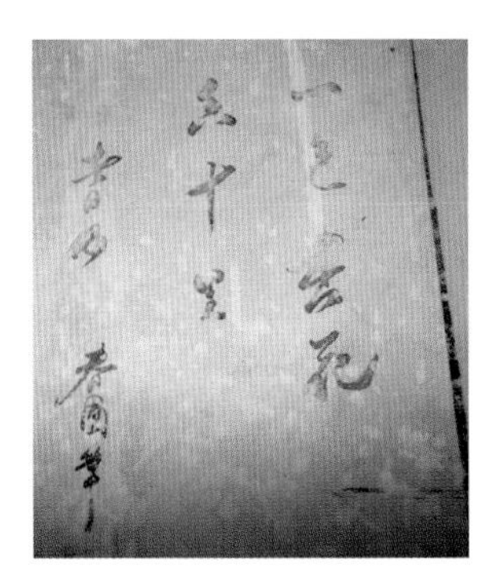

28a 壁畫 (一進後左簷牆)

圖：蘭花 (子孫/四君子之一)；

題字：「一色杏花香十里」「春日書 春圃筆]。

「一色杏花三十里」出自宋・蘇軾《送蜀人張師厚赴殿試》(見愈喬二公祠壁畫(20b))。喻高中狀元，圖中的蘭花應喻意「子孫」較為配合。

28b 壁畫 (一進後右簷牆)

圖：竹 (四君子之一)；

題字：「花徑未曾緣[客]掃」[春日偶書][春圃] 。

出自唐・杜甫《客至》，原文：

「舍南舍北皆春水，但見群鷗日日來；花徑不曾緣客掃，蓬門今始為君開；

盤飧市遠無兼味，樽酒家貧只舊醅；肯與鄰翁相對飲，隔籬呼取盡餘杯。」

詩意蘊含甘貧樂道的隱世精神，與建築另一端相對的壁畫所追求的功名利祿矛盾。

圖3-32A：述卿書室二進前簷廊花罩

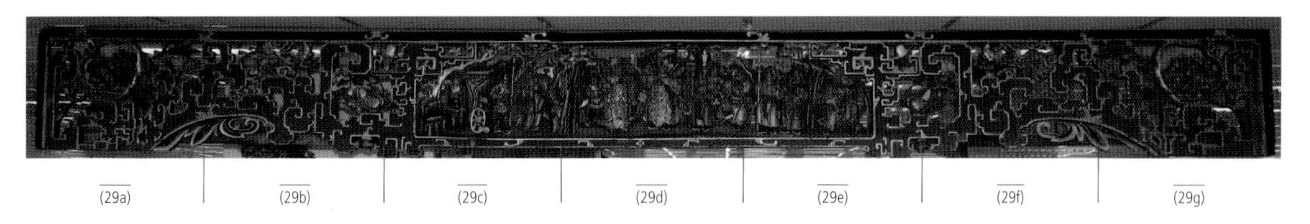

（此花罩現藏於建築署）

29a 花罩(二進前簷廊)　29b 花罩(二進前簷廊)

博古(綠色)、桃、瓜、鷹、熊、祥雲、雞冠花 (象徵長壽、官祿)。

29c 花罩(二進前簷廊)　29d 花罩(二進前簷廊)　29e 花罩(二進前簷廊)

薛仁貴及薛丁山，旗上書有「定唐大司命」。

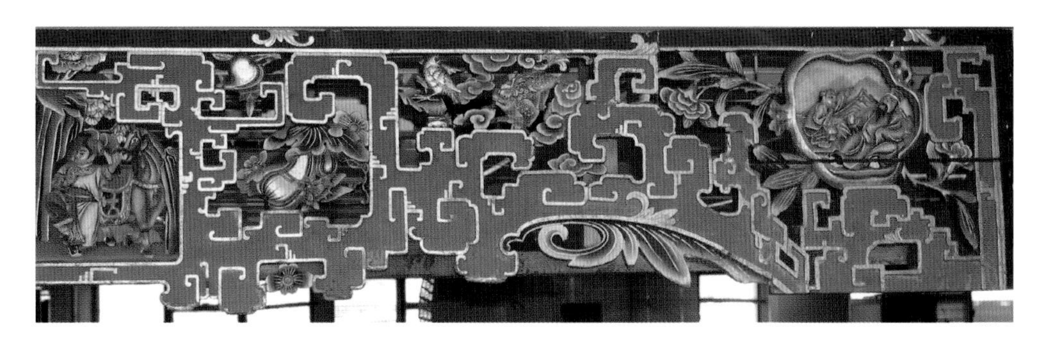

29f 花罩(二進前簷廊)　29g 花罩(二進前簷廊)

博古(綠色)、桃、瓜、鷹、熊、祥雲、雞冠花 (象徵長壽、官祿)。

圖3-32B：述卿書室二進前簷廊花罩

29a 花罩(二進前簷廊)

一文人倚於書本旁，僕人奉酒。
「太白醉酒」(寓意有才學的人)。

29g 花罩(二進前簷廊)

僕人奉茶，指向山，文人喝茶。
晉・陶淵明・《飲酒二十首其五》：
「結廬在人境，而無車馬喧。問君何能爾，心遠地自偏。採菊東籬下，悠然見南山。山氣日夕佳，飛鳥相與還。此中有真意，欲辨已忘言。」(寓意「南山祝壽」)。

29e 花罩(二進前簷廊)

一戴罐子盔的軍士，持舉門槍旗(八腳旗)(表示軍威雄壯(劉月美，2002，204))，上書「定唐大司命」；兵卒、穿靠將士(一腳提起，表示行走)、白袍小將、穿靠將士、馬伕(一腳提起，表示行走)及馬。

薛仁貴投軍，被派做伙頭軍（伙伕），愛穿妻子送給他的白袍，圖中穿白袍的小將應是薛仁貴(又名薛禮)(應持戟)。在途中認識很多好漢，並結義為兄弟，組成一隊威猛的伙頭軍（伙伕），包括周青、李慶紅、李慶先、王新鶴、姜興本、姜興霸等。《說唐全傳》第二十八回〈薛禮三箭定江山，番將驚走鳳凰城〉與戲曲「鳳凰山/薛禮救駕」，都是描述薛仁貴在天山打退番兵，救出唐太宗。可是，他的軍功全被總兵張士貴冒領。唐太宗命尉遲敬德到軍中調查。敬德在一個晚上遇上薛仁貴，仁貴向敬德訴說自己不平的遭遇。故事收錄在「獨木關/薛禮歎月」一劇中。圖中奔走中的將領應是尉遲敬德，白袍小將另一邊的將領應是張士貴，後排的小將應是周青。有關薛仁貴的戰績還有「摩天嶺」、「金光陣」等劇目。薛仁貴多次出戰抵禦外敵，為征東大元帥，並被封為護國公。薛仁貴和兒子薛丁山都是保衛國家的棟樑。

《太平御覽》第五百二十九卷「禮儀部八」・「五祀」中提及：「司命，主督察人命也。」(李昉，1959，2401)。屈原《楚辭・東皇太一・九歌》中，共列十一篇作品，其中一篇名〈大司命〉，一篇名〈少司命〉，二者均是星名。「大司命是生命的主宰神，能誅惡護善，權威很大。」(文懷沙，2005，43-52)；初民崇拜自然，司命是神明的職掌，大司命主壽(生死)(黃壽祺，1996，64)。

這裏比喻薛仁貴一家是守衛唐朝國家安全的關鍵人物。

圖3-32C：述卿書室二進前簷廊花罩

29d 花罩(二進前簷廊)

一女將，穿靠，背四靠旗，戴七星額子，手抱二嬰兒，背後有一侍婢；一年青將領穿靠，背四靠旗，配箭。背景中有一大纛旗。

女將應為樊梨花、男將應為薛丁山。

樊梨花在陣中產子(曾平珉(編)，1993/1998，839)，後又在另一陣中產子名薛強(同上，869)。

另一可能性是〈薛仁貴雙美團圓〉：指薛仁貴和妻子柳金花。薛仁貴去投軍後，柳金花生下一雙男女，即丁山和金蓮。但圖中女子為女將，背有靠旗，不符合柳金花的身分；

另一可能是風火山樊洪海員外女兒綉花。薛仁貴往投軍時，剛好遇到綉花被風火山強盜強娶，仁貴擒了三盜，救了綉花，樊洪海將綉花許配他。薛仁貴說投軍要緊，並以五色鸞帶為定，十二年後樊員外親送女兒成親。綉花實非女將，與劇情不脗合。

29c 花罩(二進前簷廊)

老車伕/老角(陳云)、二武旦(持槍者及迎接者應為陳金定和竇仙童)。

薛丁山的兩位夫人：竇仙童及陳金定。

薛丁山在棋盤山與竇仙童大戰，不敵被擒，由程咬金說媒在山寨成親(《說唐三傳》第十八至十九回)。

薛丁山兵敗，被番后追殺，得陳金定相救，並把番后打死。陳金定父親陳云，為隋朝舊將，流落西番。願送女予丁山成親。竇仙童感她救夫之恩，與陳金定以姐妹相稱(《說唐三傳》第二十七)，二人其後都受令於樊梨花的軍事指揮中。

圖3-33：述卿書室一進前台階兩側的垂帶

祥雲、前端鼓形

按《香港鄉村古建築》一書(香港政府新聞處，1981，88)的繪圖，述卿書室一進前原有三級台階，台階兩側有垂帶。

垂帶上的石鼓(有鼓釘)

圖3-34：述卿書室柱礎(二進)

花瓶形(有多度直凹槽)(廣州陳氏書院也有這款式的柱礎。「清代嶺南建築柱礎都特別地收細了腰部，彎得輕巧靈動起來。」(廣東民間工藝術學院博物館，1994，189)。

圖3-35：述卿書室壽帳

由述卿書室興建者之一鄧大成送給母親(鄧述卿的妻子)七十一大壽的壽帳

-36：紀念文舉人的旗座及下馬石

根據村民憶述，這裏地上有一孔洞，孔洞四周有土堆，用以插上紀念鄧惠育(鄧述卿的長子，述卿書室興建者之一)考獲文舉人的旗座。旗杆上端有方斗結構，後來村民欲美化這旗座，才用磚砌成現在的模樣。旗杆旁邊的兩塊石上沒有刻字，村民說是一塊有禮制作用的「下馬石」。

覲廷書室

屏山古建築裝飾題材

圖4-1：覲廷書室一進前

建築沿革

覲廷書室位於屏山坑尾村，是鄧香泉(屏山22傳)在同治九年(1870年)為了紀念父親覲廷建成。鄧田興(屏山21傳)又名經猷，字朝聘，號覲廷，是鄧瑞泰的第五子。為邑武庠生。覲廷生於嘉慶乙亥年(1815年)，終於道光戊戌年(1838年)，享年只有23歲。鄧光宗，又名林芳，字士彥，號香泉，郡庠生，是覲廷的獨子。香泉生於道光戊戌年(1838年)，終於光緒己卯年(1879年)，享年41歲。其後香泉在覲廷書室旁加建了清暑軒，作為住宿的用途。

自清代乾隆至同治九十多年間，屏山村便有六位鄧族子弟成為舉人，其中四位屬瑞泰一脈的族人，包括瑞泰、勳猷、惠育和宏英。給讀書人不少鼓舞。屏山區內書室眾多，覲廷書室建成後，述卿書室也在四年後相繼落成。還有較早時期建成的仁敦岡書室、聖軒公家塾、若虛書室和五桂堂等，可見屏山讀書風氣之盛。在現存各書室中，以覲廷書室保存得最好。

除了讀書的用途外，覲廷書室也作供奉祖先之用。覲廷書室的神龕分六層，現在供奉的靈位由上至下是「南陽鄧門歷代祖先」、「瑞泰」、「覲廷(朝聘、經猷)」、「林芳(香泉)」，最下一列有香泉兒子的靈位「兆禧、兆椿、兆鏞、兆瀛、兆垣和兆乾」等。

覲廷書室因科舉考試的取締而遭荒廢，在1987年遇火災。得到香港賽馬會捐助，在1990至1991年間修繕，並在1994年獲香港建築獎 (Arcasia Award for Architecture 1994)。

建築結構

覲廷書室是二進一院式建築，房屋前呈凹壽(斗)式，屋頂是硬山式，正脊平直，兩端飾博古紋，垂脊尾段有夔龍紋，沒有鰲魚或簷角獅子，前簷牆上開二窗，門廳有左右側門，屏門設在一進後方。第一進及第二進均有廂房和閣樓，前庭左右也有廂房，第二進以隔扇門把左右的空間僻作偏廳。隔扇門的木刻雕工精美，不同位置的隔扇門款式各有不同，樑架的裝飾十分講究，題材豐富，令人目不暇給。

覲廷書室與述卿書室的建築方式截然不同。述卿書室的壁畫和木刻均著重人物，覲廷書室的壁畫和木刻則二者兼備。設計者花了很多心思搜羅各種歌頌不同花卉的古詩，有借景抒懷的逸品，也有胸懷若谷或表達宏圖壯志之作，盡皆對子弟溫馨的祝福。詩情畫意的配合，像教科書的插圖一樣，使人更易瞭解其心意，是其他古建研究的珍貴參考材料。

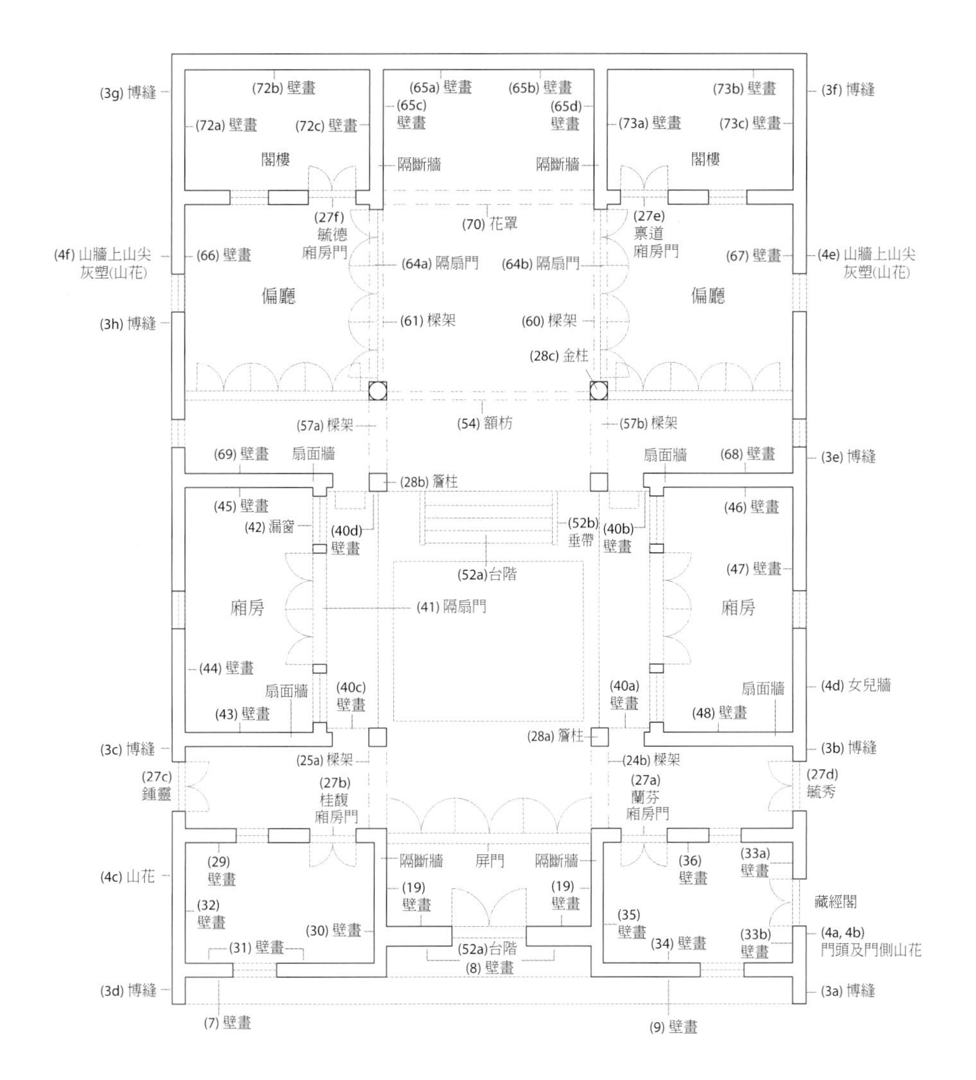

圖4-2：覲廷書室平面圖

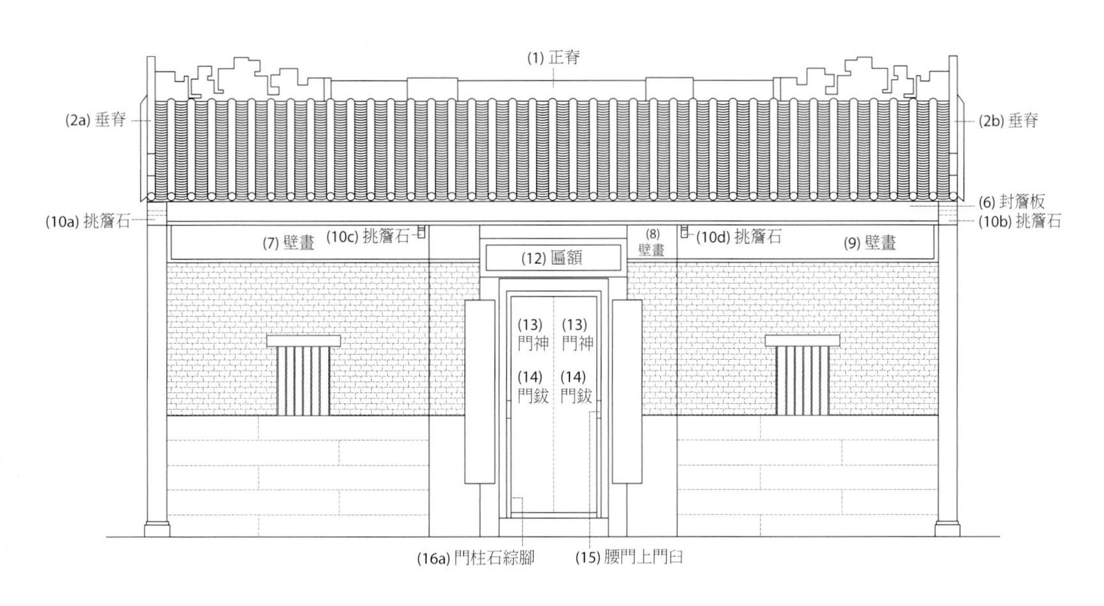

圖4-3A：覲廷書室一進前正立面圖

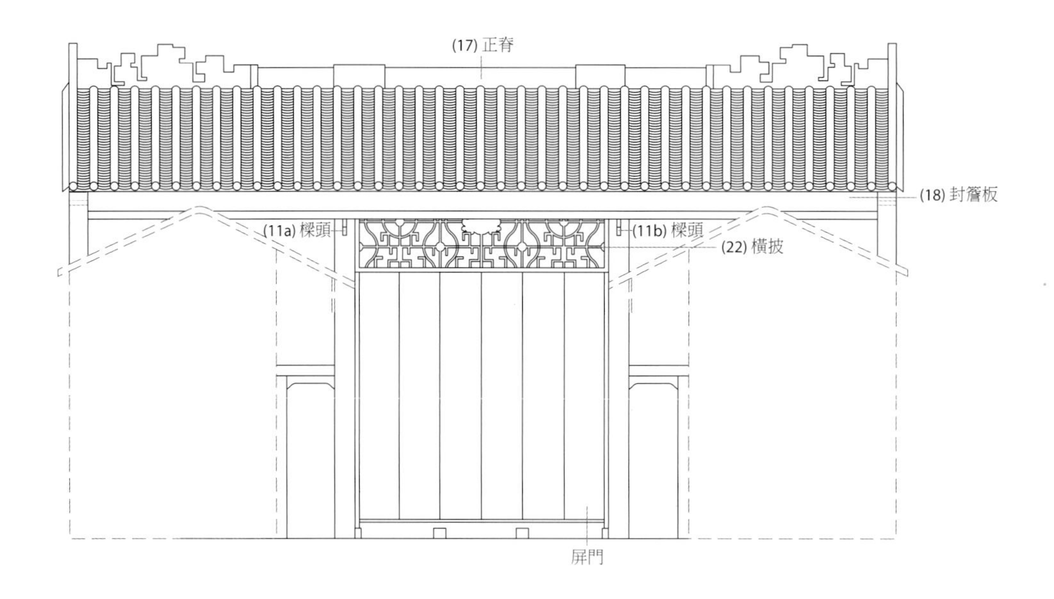

圖4-3B：覲廷書室一進後正立面圖

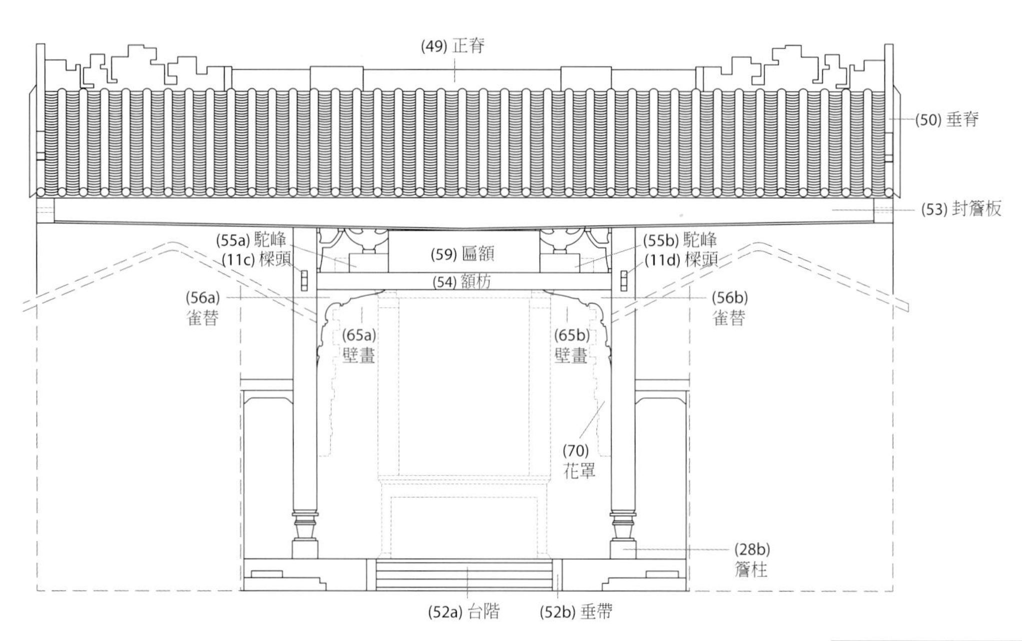

圖4-3C：覲廷書室二進前正立面圖

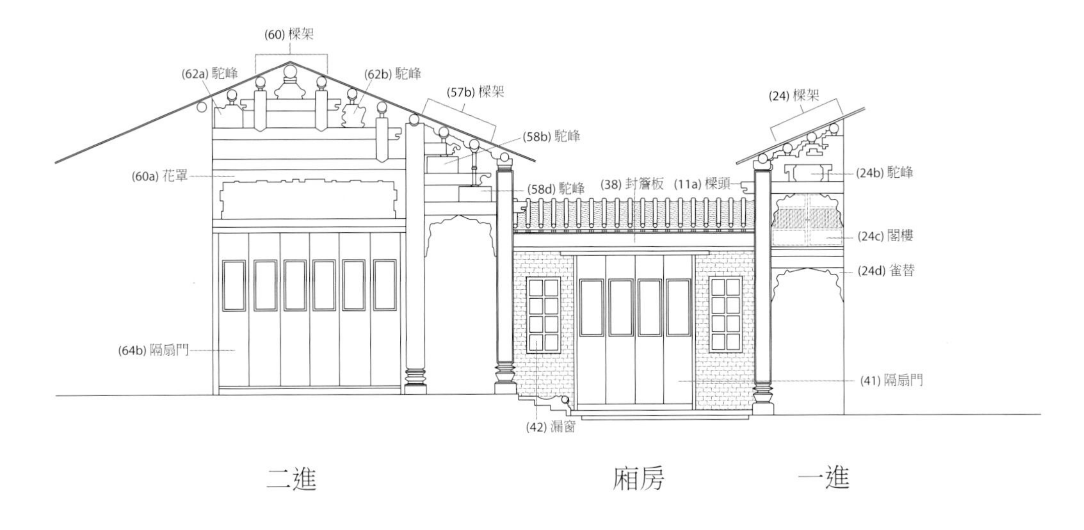

圖4-4A：覲廷書室側面圖（內貌）

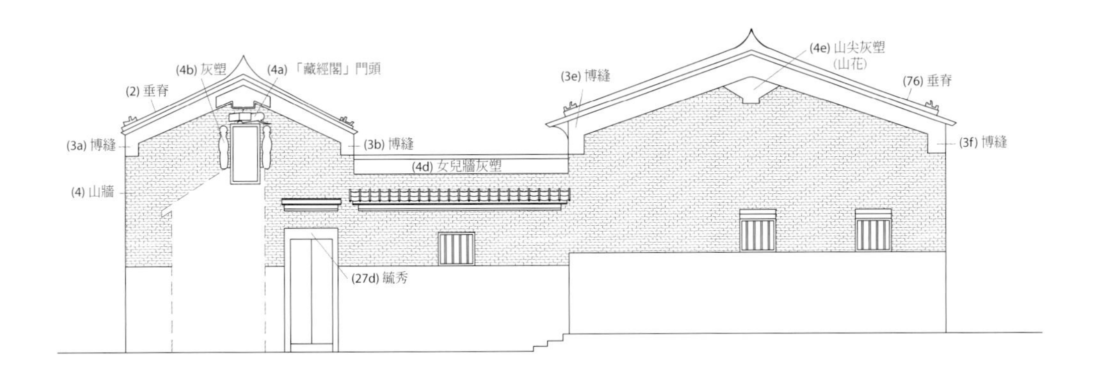

圖4-4B：覲廷書室左側面圖（外貌）

＊圖中有括弧的編號為各構件的位置編碼，這些編號將列於相關文字敘述的前端，以便讀者瞭解其分佈實況。

圖4-5：覲廷書室一進前正脊

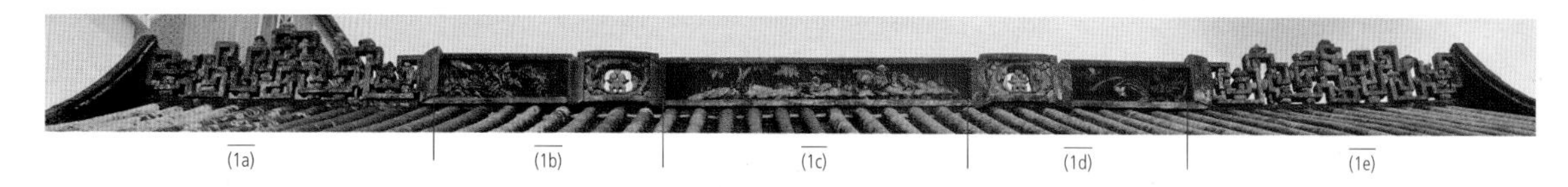

1a 正脊 (一進前)

博古、各種瓜果、鳥 (象徵「博古通今」、子孫萬代)。

1b 正脊 (一進前)

壽石、竹、綬帶鳥 (象徵祝壽)、鏤空方格內置果盤及瓜果。

1c 正脊 (一進前)

一大獅、二小獅、樹

大、小與太、少音類似；獅與師同音。大小獅子象徵「太師、少師」。按《尚書‧周官》周代官制，「立太師、太傅、太保，茲惟三公。……少師、少傅、少保曰三孤」。孤僅次於公，位列卿之上。太師和少師是公、孤的首席，寓意最高官位(野崎誠近，1927/2000，503)。這裏寓意官祿代代相傳。

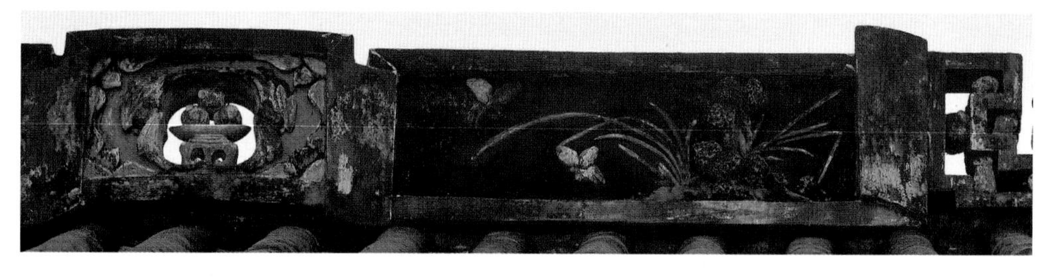

1d 正脊 (一進前)

鏤空方格內置果盤及瓜果(象徵多子)；草、壽石、蝴蝶 (蝶諧音耋，八十歲以上為耋) (象徵長壽)。

圖4-6：覲廷書室一進前垂脊

2a　右垂脊(一進前)

博古龍/夔龍

圖4-7A：覲廷書室一進左山牆垂脊及博縫

3a　垂脊及博縫(一進左山牆西)

博古龍、壽石、牡丹花、瓜、喜鵲（象徵福、壽、喜)。

3b　垂脊及博縫(一進左山牆東)

博古龍、梅花、山茶花(象徵「春光長壽」)。

圖4-7B：覲廷書室一進左山牆垂脊及博縫

3c　博縫(一進右山牆東)

蓮花、蘆葦(象徵「一路連科」)。

3d　博縫(一進右山牆西)

竹、梅、鳥(象徵「竹梅報喜」)。

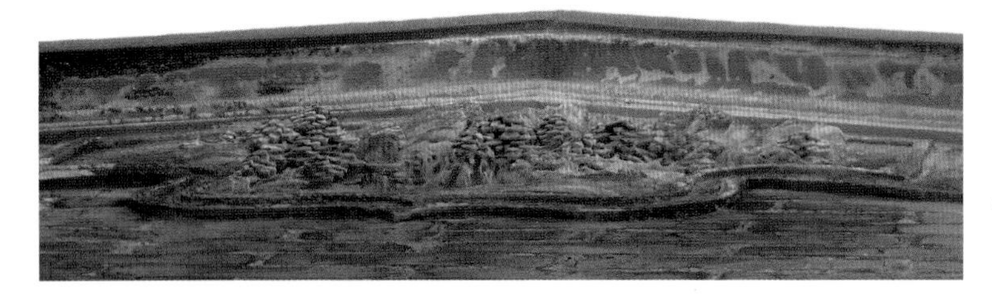

4c　山花(一進右山牆)

山水、樹。

圖4-8A：覲廷書室一進左山牆

垂脊頂：書本、古琴、倒轉花瓶、蓮花、孔雀毛、官扇及其他物品(寓意「書香門第」、官祿)； 垂脊末端：夔龍(博古龍)。

4a　灰塑 (一進左山牆山花及「藏經閣」門頭)

山尖上端山花灰塑：「磬」的外形，內塑山景、茅廬、松樹。「磬」，形如曲尺，是古代宮廷的樂器，佛寺中使用的法器，「磬」與集鐘、琴、簫、笙、壎、鼓、況圉八種樂器合稱「八音」祥瑞圖案(野崎誠近，1927/2000，255)。「笙磬同音」，為祝頌和諧融睦之詞。「磬」與「慶」同音，常被用來表現吉慶、喜慶、慶祝、慶賀、「普天同慶」的意思(喬繼堂，1990，250-25)。

因山存在的時間長久，因而象徵長壽 (寓意慶壽)或是一幅山居圖。與下面的楹聯內容配合，描寫「歸田園居」的景象。覲廷書室內有數幅描寫山居的圖畫和詩句，如分別由唐代兩位詩人杜牧及項斯寫的《山行》，也可能象徵「海屋添壽」。

門頭 (窗上方)的灰塑：畫框、龍、古琴。題字：「藏經閣」。

「藏經閣」的「藏」字位於龍形腹中，含「藏龍」之意。龍長雙翼，正展翅飛翔。「閣」字位於古琴當中，有雅舍之意。

圖4-8B：覲廷書室一進左山牆

4b　灰塑（一進左山牆藏經閣左右門側）

「藏經閣」門側飾二花瓶，內插月季花，並有博古紋環繞兩側，花瓶各塑上楹聯「無心雲出岫」，「有意月窺窗」。

楹聯的首句源自晉代陶淵明之《歸去來兮辭》，原文為：

「……園日涉以成趣，門雖設而常關。策扶老以流憩，時矯首而遐觀。雲無心以出岫，鳥倦飛而知還。景翳翳以將入，撫孤松而盤桓。歸去來兮，請息交以絕遊。……」。

這楹聯描寫大自然的景致：雲不經意地從山洞裏(或峰巒中)飄出，月光卻刻意地照進窗內，象徵悠然自得的隱逸情趣。

根據建築的結構外貌，此處應原為窗戶，而非側門。與楹聯之意脗合。

圖4-9：覲廷書室瓦當

5a　瓦當（一進前）

藍色，方形凹角，上方倒轉蝙蝠，中央方框內書「富」/「福」字)(藍色)（象徵福到）。

5b　瓦當（二進後）

藍色牡丹花（象徵富貴）。

圖4-10A：覲廷書室一進前封簷板

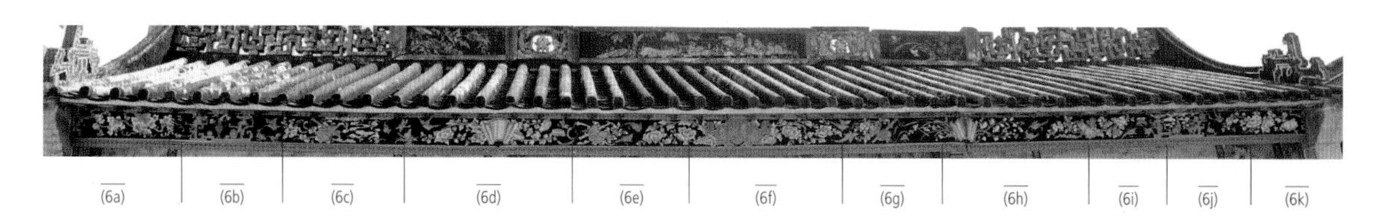

6a　封簷板(一進前)

松鼠葡萄（象徵多子）。

6b　封簷板(一進前)

博古架、佛手柑、花瓶內插蓮花、拂塵、孔雀毛、如意（象徵「頂戴花翎」、「一品清廉」、「翎頂輝煌」）。

6c　封簷板(一進前)

二綬帶鳥、笛子(韓湘子)、葫蘆有仙氣溢出（李鐵拐)、祥雲、二蝙蝠。

6d　封簷板(一進前)

蝴蝶、二綬帶鳥、牡丹花、一幅卷軸、菊花、蝴蝶（象徵「長命富貴」、「福壽雙全」）。

6e　封簷板(一進前)

扇子(鍾離權)、魚鼓(張果老)、瓜、二綬帶鳥（象徵多子、長壽)。

圖4-10B：覲廷書室一進前封簷板

6f　封簷板(一進前)

牡丹花、中央有二隻連結在一起的紅色蝙蝠外形，其上書有「吉祥如意」四字，下有壽字牌，側有牡丹花（象徵福、壽、富貴）。

6g　封簷板(一進前)　　6h　封簷板(一進前)

二喜鵲、花籃(藍采和)內盛佛手柑(象徵福)、寶劍(呂洞賓)、倒轉蝴蝶(象徵福到)、蘭花(象徵芝蘭幽香)、一幅卷軸(象徵福)、玉蘭花(象徵「玉樹臨風」美好男子/「必得其壽」)、二蝴蝶(象徵福或壽)、二喜鵲。

6i　封簷板(一進前)

豆、荷花(何仙姑)、響板(曹國舅)、豆(象徵多子)。

6j　封簷板(一進前)　　6k　封簷板(一進前)

喜鵲、倒轉蝴蝶、象、博古架、瓜、壽字牌、三腳蟾蜍口吐上升的祥雲、象、壽字牌、拂塵、二鷺鷥、牡丹花（象徵福壽、財富、吉祥、「青雲直上」、「太平有象、「路路富貴」）。

圖4-11：覲廷書室一進前右簷牆壁畫

7b　壁畫(一進前右簷牆)

題字：「高山流水無愁調，帶□琴□□自啼。□□偶畫」(行草)。

《高山流水》典出《列子・湯問》：『伯牙善鼓琴，鍾子期善聽。伯牙鼓琴，志在高山，子期曰：「善哉，峨峨兮若泰山！」志在流水，子期曰：「善哉洋洋兮若江河」伯牙所得念子期必得之。』(羅青(等)，2003，113)。

《高山流水》是中國古曲，本來不是哀怨的曲調，但因為伯牙痛失知音，而變得令人神傷(寓意友情可貴)。

7c　壁畫(一進前右簷牆)

圖：樹、山石； 四人物：一持魚鼓(張果老)、一握寶劍(呂洞賓) 與(8b)結合為八仙。

題字：「瑤池燕樂永無休，蓬萊洞裏甚幽遊。□□□□仝唱和，不□□唱數千秋。□□道人□□□□」(行書)。

瑤池是西王母居住的地方，蓬萊島是傳說中的仙山。「瑤池祝壽」和「八仙賀壽」是指八仙到天界祝賀王母壽辰。這裏歌頌八仙享受遐齡，無憂無慮的悠閒生活(寓意長壽及有神仙庇佑)。

7d　壁畫(一進前右簷牆)

圖：樹、山石；

題字：「遠上寒山石徑斜，白雲深處有人家。停車坐愛楓林晚，霜葉紅於二月花。」

「翠石偶畫」(行書)。

出自唐・杜牧《山行》(與原文相同)

釋文：「寒山」：指在深秋季節的山，詩人杜牧最喜歡這裏的夜景。陡峭的山徑上，雲端盡處，還有人家居住。秋天的楓葉，不比春天的花卉遜色，大自然仍生氣勃勃。

這是一首描寫山景的小詩。寓意熱愛鄉郊田園的生活。

圖4-12A：覲廷書室一進前中央簷牆壁畫

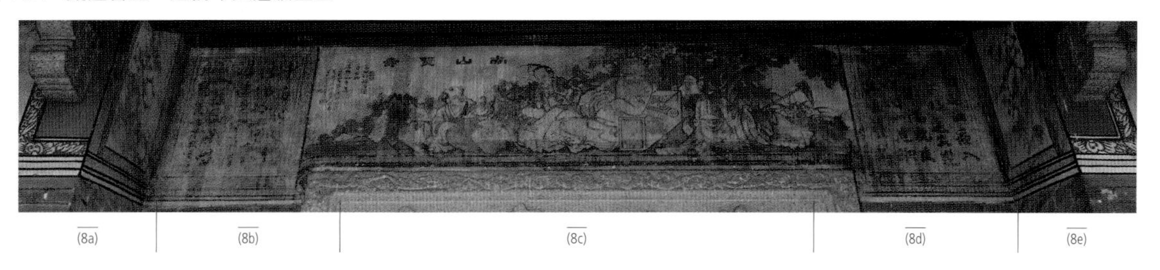

8a　壁畫 (一進前中央右隔斷牆/隔間牆)

圖：牡丹花；

題字：「艷多烟重欲開難，紅蕊當心一抹檀。公子醉歸燈下見，美人朝插鏡中看。□□□□」(行書)。

出自唐・羅隱《牡丹》，原文：

「艷多煙重欲開難，紅蕊當心一抹檀。公子醉歸燈下見，美人朝插鏡中看。當庭始覺春風貴，帶雨方知國色寒。日晚更將何所似，太真無力憑欄杆。」

釋文：牡丹不在百花盛放時綻開，紅色的花蕊中透出淡淡紅暈。公子酒醉歸來不忘在燈下觀賞一番，美人愛早晨插著它到鏡中細看。

讚揚牡丹的美艷獨特，人見人愛。寓意「富貴榮華」人人追求。

8b　壁畫 (一進前中央簷牆)

題字：「中庭地白樹棲鴉，冷露無聲濕桂花。今夜月明人盡望，不知秋思落誰家？」(行書)。

唐・王建《十五夜望月寄杜郎中》(與原文相同)。

釋文：詩文描寫秋夜的景色。在月光映照下，地上和棲息在樹上的烏鴉都像被染白了。園裏的桂花在無聲中被露水濕透了。在這明月皎潔的晚上，作者望月感秋，發思鄉之情。

圖4-12B：覲廷書室一進前中央簷牆壁畫

8c　壁畫(一進前中央簷牆)

圖：二童僕，一正煮酒。另一童僕持如意，白鬚老翁倚著書几，上有數卷軸及木枴杖，仕女背向老翁，頭望老翁。仕女側有鋤頭，上掛一籃子，籃子內有如意形靈芝，背景有大樹及壽石；

題字：「南山雙壽」(隸書)「南山福祿長添壽，松柏連横不老春。」

「同治九年，歲次庚午，時維菊月中浣，翠石道人偶畫並書以為一哂之耳」(行書)。

「壽比南山」一詞，出自《詩經・小雅・鹿鳴・天保》。其文如下：

「如月之恆，如日之升，如南山之壽，不騫不崩。如松柏之茂，無不爾或承。」

「南山」是指秦嶺終南山。「菊月」即九月。「中浣」即中旬。

「壽比南山」即是像南山那樣長久。用於祝人長壽，像松柏那樣長春不老(袁愈荾和唐莫堯，1996，364-365)。

「南山雙壽」是指長壽的兩個代表：即南極仙翁和麻姑。

南極仙翁或南極老人即壽星，是天上的神仙。據《史記・天官書》所載「参為白虎。……狼比地有大星，曰南極老人。老人見，治安；不見，兵起。」即在西方有一顆大星，叫南極老人。它的出現，象徵天下太平。另外，古人相信南斗主宰「生」，北斗主宰「死」。漢代以後，人們把敬奉壽星和儒家奉行的孝行合一，因此長壽的老人都得到國家和民眾的尊崇。從前述，鄧翰傑和喬林兩父子都被封為壽官，可見一斑。由於受明代小說《西遊記》的影響，常見的壽星多是額頭高高凸起和持拐杖的老翁(禾三千和吳喬，2006，272-273)。這圖中的老人卻與之截然不同。

「麻姑獻壽」

麻姑是漢代得道的道教神仙，又稱麻姑元君。根據晉代葛洪《神仙傳》的描述，東漢時王遠(字方平)得道後在東吳遇上蔡經，並引見麻姑。麻姑出現時像個十八九歲的姑娘，頂有髻，髮長至腰。二仙問好，說已分別五百餘年之久，麻姑還說曾見東海三次變為桑田，可見其享仙齡之長。自明代開始麻姑成為女性的壽星(葛洪，1987，270；禾三千、吳喬，2006，178-182)。另傳麻姑被西王母收為弟子，去南方一座山修道。這山有十三泓佳泉，麻姑用山泉釀造靈芝酒，並以此酒向西王母賀壽(完顏紹元、郭永生，1997，72)。

8d　壁畫 (一進前中央簷牆)

題字：「寒雨連江夜入吳，平明送客楚山孤。洛陽親友如相問，一片冰心在玉壺。偶錄」(行書)。

出自唐・王昌齡《芙蓉樓送辛漸》(與原文相同)。

釋文：昨夜天氣寒冷，吳地(即長江下游一帶)被迷濛的煙雨籠罩著。我在清晨送別友人，就像楚山(即長江中下游一帶)那樣孤獨寂寞。要是洛陽的親友問好時，請你代為轉告：我的心依然像藏在玉壺內的冰那樣皎潔純淨。

這首詩大約寫於開元二十九年，王昌齡在這時期已曾兩次被貶官。但他沒有屈服，仍堅持清高的品德(高衛紅，2009，11)。寓意為官者須清廉正直。

12C：觀廷書室一進前中央簷牆壁畫

8e　壁畫（一進前中央左隔斷牆/隔間牆）

圖：綬帶鳥、山茶花、壽石；

題字：「胭脂染絳群圍，琥珀裝成赤玉盆。半醉山房偶畫口耳」（行書）。

出自明・張新《寶珠茶》，原文：

「臙脂染就絳裙襴，琥珀裝成赤玉盤。似共東風解相識，一枝先已破春寒。」

釋文：此詩描寫大紅色單瓣的山茶花。以「胭脂」、「絳」、「赤」來寫色；以「裙襴」、「盆」來寫形；以「琥珀」、「玉」來寫質，把山茶花紅潤光潔的形象表現出來。運用「染就」、「裝成」二詞使山茶花充滿生命活力(傅承洲，1995，193-194)。山茶的花期是在春天季節，因而被喻為迎接春天的花(寓意「春光長壽」)。

圖4-13A：觀廷書室一進前左簷牆壁畫

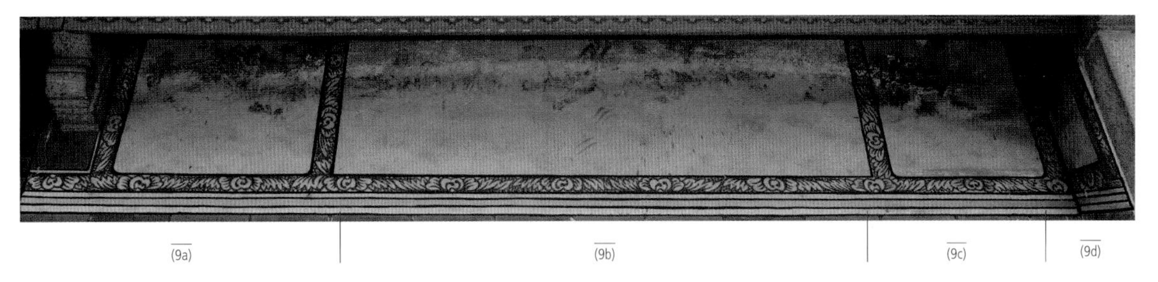

(9a)　(9b)　(9c)　(9d)

9a　壁畫（一進前左簷牆）

圖：山、樹；

題字：「青櫪林深亦有人，一渠流水數家分。山當日午回峰影，草帶泥痕過鹿群。」「半醉山房偶畫」（行書）。

出自唐・項斯《山行》，原文：

「青櫪林深亦有人，一渠流水數家分。山當日午回峰影，草帶泥痕過鹿群。蒸茗氣從茅舍出，繰絲聲隔竹籬聞。行逢賣藥歸來客，不惜相隨人島雲。」

釋文：在偏遠的櫪樹林裏也有人跡，沿著渠水可以找到零星的村舍。在午間日光映照下，在草地上可以見到鹿群走過後留下的足印。……(蘇宰西，2006，176-177)。

本詩描述詩人進山時所見的風景，寫山村的生活情趣。寓意享受山居的寧靜生活。

圖4-13B：覲廷書室一進前左簷牆壁畫

9b　壁畫（一進前左簷牆）

圖：樹、四人物：一持簫/笛(韓湘子)、一仕女(何仙姑)。應為八仙之四。與(6c)結合為八仙；題字：「瑤池安樂」(隸書)「……以為一哂之耳」(行書)。

「瑤池安樂」

西王母是元始天尊的女兒，傳說西王母住在昆崙山頂的園林裏，此園共有玉樓九層，瑤池翠水環繞其間。她栽的蟠桃，吃後可長生不老。每逢王母誕辰，群仙都赴集瑤池，向她祝壽(完顏紹元、郭永生，1997，50；禾三千、吳喬，2006，37)。與瑤池有關的吉祥圖案有「瑤池祝壽」、「八仙賀壽」、「麻姑獻壽」、「瑤池集慶」及「蟠桃獻壽」等。此圖與(6c)題材相同。寄託對康健長壽的渴望。

9c　壁畫（一進前左簷牆壁畫）

山、石、樹、帆；題字：「[明月]松間照，清泉石上流。[白雲]道人偶畫」(行草)。

(出自唐・王維《山居秋暝》見清暑軒同題材壁畫釋文)。

9d　壁畫（一進前左簷牆側牆）

菊花、松樹；題字：「□□□□普世瀍（同法）門」(行書)。

圖4-14：覲廷書室一進前正門挑簷石

10a　挑簷石(一進前右山牆)

卷草

10d　挑簷石(一進前左隔斷牆/隔間牆)

鰲魚

圖4-15：覲廷書室一進前正門樑頭

11b　樑頭（一進後右）

如意祥雲

11c　樑頭（二進前右）

如意祥雲

圖4-16：覲廷書室一進前匾額及門神

12　匾額：陽刻「覲廷書室」，沒有髹漆，四周邊飾為卷草，沒有門簪。

13　門神

武將，鼓腹，穿綠色靠(近似改良靠)，靠肩飾魚鱗錦，靠腿為網紋，肩上飾有含環獸頭，領上結有三角巾。胸前有護心鏡，護心鏡側飾四暗八仙。靠腿分前後左右四塊，上披綠布和白布。束腰，腹部中央有獸首，袖口窄。背上插了四面紅色方形靠旗。頭戴倒纓盔，綴二偏球。足穿彩方靴。腰前掛箭壺，腰後見數箭。右手握鉞斧，一手持佛教手印。青面，掛虬髯(表示性格粗豪)。肩部垂風帶，顯示其為神仙。

相信是尉遲敬德和天將的融合造像。

武將，鼓腹，穿紅色靠(近似改良靠)，靠肩為魚鱗錦，靠腿為網紋。肩上飾有含環獸頭，領上結有三角巾。胸前有護心鏡。靠腿分前後左右四塊，上披紅布和白布。束腰，腹部中央有獸首，袖口窄。背上插了四面綠色方形靠旗，上面書有二壽字)。頭戴倒纓盔，綴二偏球。足穿彩方靴。腰前掛箭壺，腰後見數箭。一手握錘(也叫金瓜)；一手「持蓮花印」。紅面，掛五綹黑鬚(表示其人文雅、清秀)。肩部垂風帶，顯示其為神仙。

相信是秦叔寶和天將的融合造像。

圖4-17：覲廷書室一進前門鈸

14　門鈸

獸頭，額上有一角，閉口含環，底部為六瓣蓮花形，花瓣上有三顆釘子。應為傳說的龍生九子之一的椒圖(參考述卿書室21)。

圖4-18：覲廷書室一進前腰門上門臼

15　門臼

葡萄（象徵多子）。

圖4-19：覲廷書室一進前門柱石線腳

16a　門柱石線腳（一進前）

圓柱及柱礎形

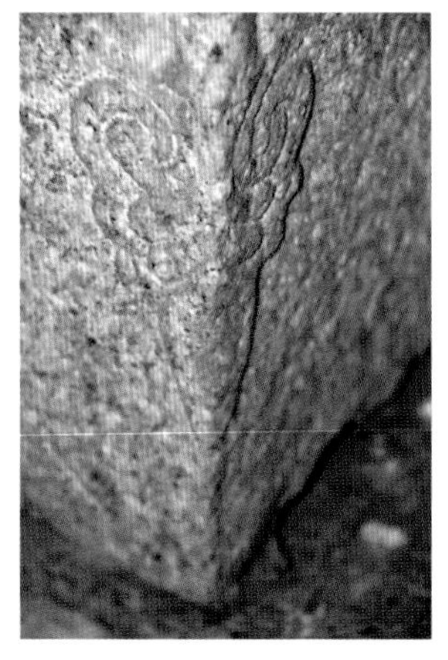

16b　門柱石線腳（廂房）

尖角如意形

圖4-20：覲廷書室一進後

圖4-21A：覲廷書室一進後正脊

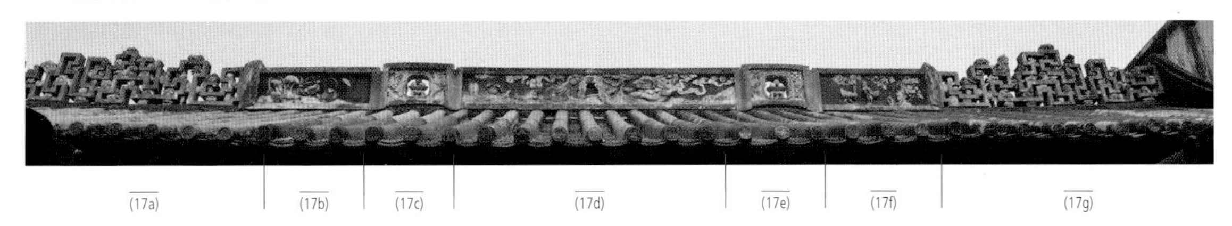

17a 正脊（一進後）

博古，內有瓜果、鳥、獅（象徵世代綿長、文武全才）。

17b 正脊（一進後）　　17c 正脊（一進後）

二水鴨、蘆葦（寓意「二甲傳臚」）；鏤空圓角方形，內放果盤，上置瓜果（象徵多子）。

圖4-21B：覲廷書室一進後正脊

17d 正脊 (一進後)

蚌、蟹、魚、禹門、魚化龍、龍、祥雲、太陽 (寓意「二甲傳臚」、「鯉躍龍門」、「旭日初升」、升官)。

17e 正脊 (一進後) 17f 正脊 (一進後)

鏤空圓角方形，內放果盤，上置瓜果 (象徵多子)；二母雞、芙蓉花、壽石 (象徵吉慶、「榮華富貴」)。

圖4-22A：覲廷書室一進後封簷板

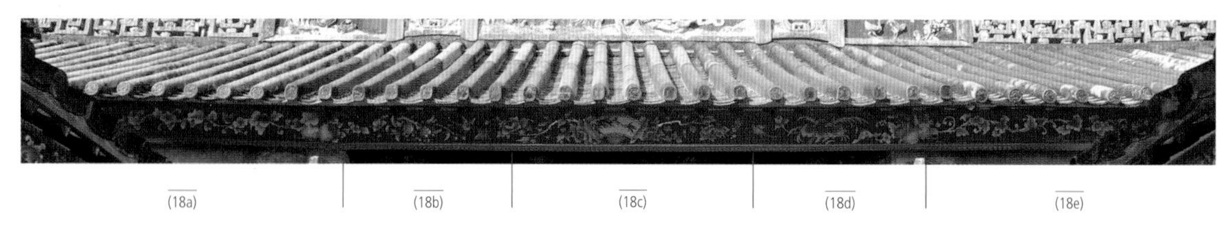

18a 封簷板(一進後)

瓜、蔓草 (寓意「瓜瓞綿綿」)。

18b 封簷板(一進後)

石榴、喜鵲、倒轉蝴蝶 (象徵多子、喜慶、福到)。

圖4-22B：覲廷書室一進後封簷板

18c 封簷板(一進後)

牡丹花、一幅畫(繪竹)、壽字牌、牡丹花、蝴蝶 (象徵富貴、祝福、「福壽雙全」)。

18d 封簷板(一進後)

蝴蝶、喜鵲、蓮花、蓮葉 (象徵「喜得連科」)。

圖4-23A：覲廷書室一進後壁畫

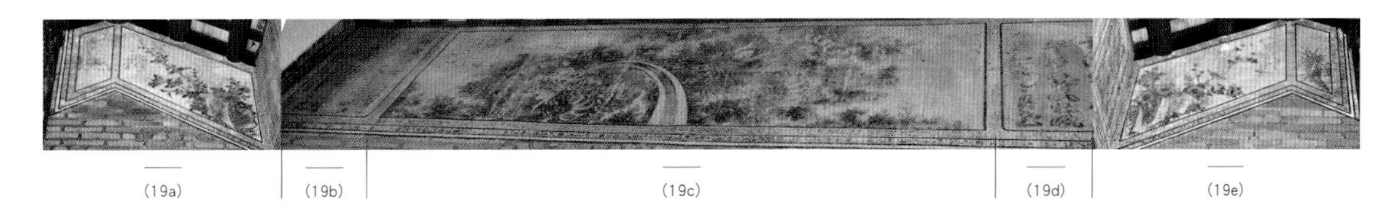

19a 壁畫 (一進後左隔斷牆/隔間牆內)

圖：壽石、山茶花、綬帶鳥；蘭花；

題字：「羅浮仙子飲流霞，醉倒孤山處士家。幾度東風吹不醒，至今顏色似桃花。」「白雲道人畫」(行書)。

有記載是清代畫家張瑠(生於清道光二十七年(1847年)，卒於1936年)。這是他在「花鳥四條屏」畫中的題詩(尚待考證)。

羅浮山在廣東省，也稱東樵山，與西樵山齊名，都是道教的名山。山高三千餘丈，岩洞層出，雲霞縈繞，被認為是神仙的洞府。羅浮山黃龍洞的山溪中有一巨石，傳說麻姑曾在此自斟自飲，品嘗萬壽果(謝華，1984，40)。謝華在書中引用上述詩句，但未有列出來源。相信羅浮仙子是指麻姑，這裏寓意長壽。

圖4-23B：覲廷書室一進後壁畫

19b 壁畫(一進後中央簷牆)

題字：「誰家玉笛暗飛聲，散入春風滿洛城。此夜曲中聞折柳，何人不起故園情？」(行書)。

出自唐・李白《春日夜洛城聞笛》

這是李白在開元二十年的作品。在洛城他聽到玉笛奏的《折楊柳》一曲後，勾起懷念故園之情(張健，1998，96)。

19c 壁畫(一進後中央簷牆)

圖：蒼龍教子，二龍相爭，精氣由下方的龍噴出；

題字：「末日風雲滃素屏，爭[崢]嶸頭角露神形；静看頗[有為霖]勢，贈口口墨點情」「白雲道人偶畫并題」(行書)。

寓意世事雖然風雲變幻，但有能力的人是終會出人頭地的。勉勵子孫發憤圖強。

在廣州南沙區黃閣鎮東裏村輔黨麥公祠的有近似的題字內容。在鄧氏宗祠、愈喬二公祠、述卿書室和大夫第(同治四年(1865年)都可看見類似的「教子朝天」圖像，可見「教子朝天」圖的普遍性，與香港的古建築及嶺南文化一脈相承的關係。

19d 壁畫(一進後中央簷牆)

題字：「遠上寒山石徑斜，白雲深處有人家。停車坐愛楓林晚，霜葉紅於二月花。」(行書)。

唐・杜牧《山行》(釋文參考覲廷書室一進前同文(7d))。

圖4-23C：覲廷書室一進後壁畫

19e 壁畫 (一進後右隔斷牆/隔間牆)

圖：菊花、壽石、綬帶鳥；蘭花；

題字：「輕煙細雨重陽節，曲檻疎籬五柳家」「半閒子偶畫」(行書)。

出自宋・劉子翬《詠菊》原文：

「青叢馥郁早抽芽，金蘂爛斑晚著花，秋意祇應宜淡泊，化工可是惜鉛華，輕煙細雨重陽節，曲檻疎籬五柳家，暮醉朝吟供採摘，更憐寒蝶共生涯。」(汪灝、張逸少、王象晉，1987)。

劉子翬(1101—1147)，字彥冲，自號病翁，宋崇安(今屬福建)人。北宋末年為承務郎，南宋任興代軍通判。辭官歸鄉後在屏山隱閣講學，人稱「屏山先生」，朱熹即出其門下。著有《屏山全集》(陸耀東，1994，110)。

釋文：在細雨紛紛的重陽節，作者緬懷愛菊的陶淵明，反映他對淡泊名利、回歸田園的生活感受。

居於屏山的鄧氏族人找來「屏山先生」(劉子翬)的詩句點綴他們的家園，這詩對他們來說更親切動人。

圖4-24：覲廷書室一進後連楹榫眼及伏兔

20a 門框、連楹榫眼

圓形

20b 門框、門檻、伏兔

方形

圖4-25：覲廷書室一進後正門門枕石

21b 門枕石 (一進後正門)

如意

圖4-26A：覲廷書室一進後中門上橫披

22a 橫披上裝飾 (上層)

上層：花瓶、蓮花(象徵「一品清廉」)、孔雀毛(花翎，象徵官位)；花藍(藍采和)；一幅畫(象徵福) (畫上題字：「遠看山有色，近聽鳥無聲。」)；笛(韓湘子)；劍(呂洞賓)。

22b 橫披 (中層)

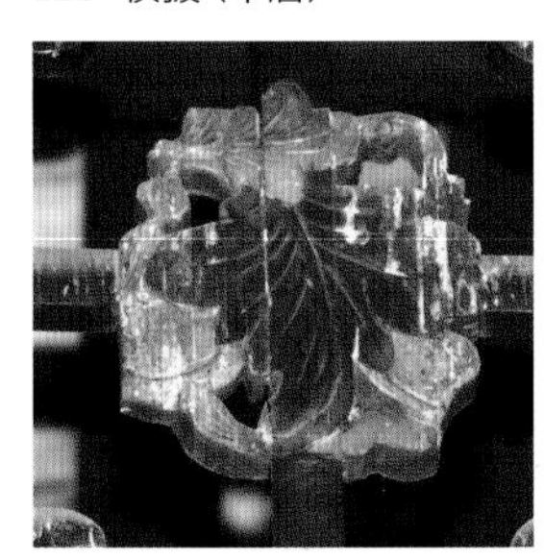

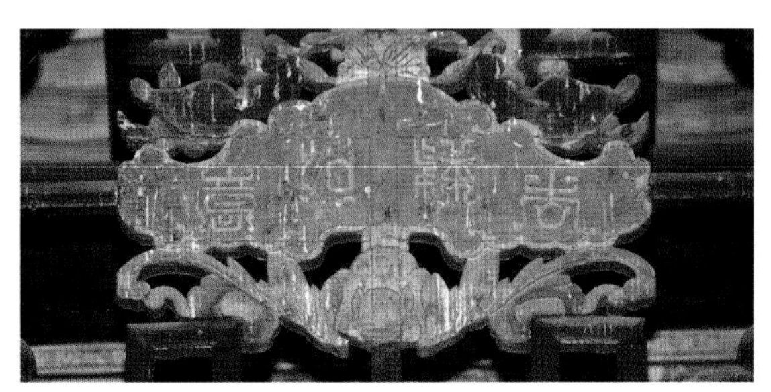

中層：瓜；蝙蝠上書「如意吉祥」；寶相花；瓜(象徵多子)。

圖4-26B：觀廷書室一進後中門上橫披

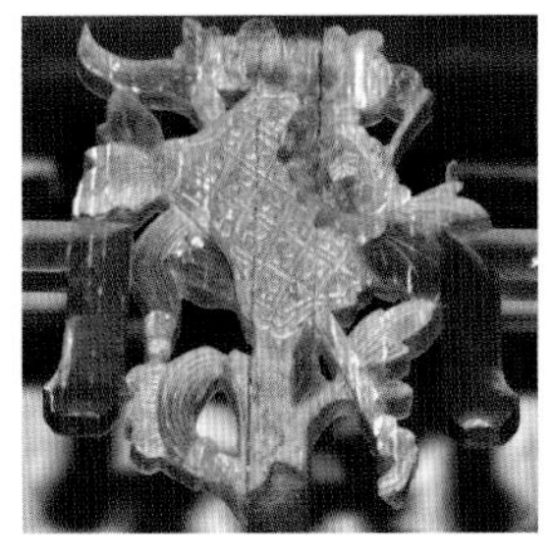
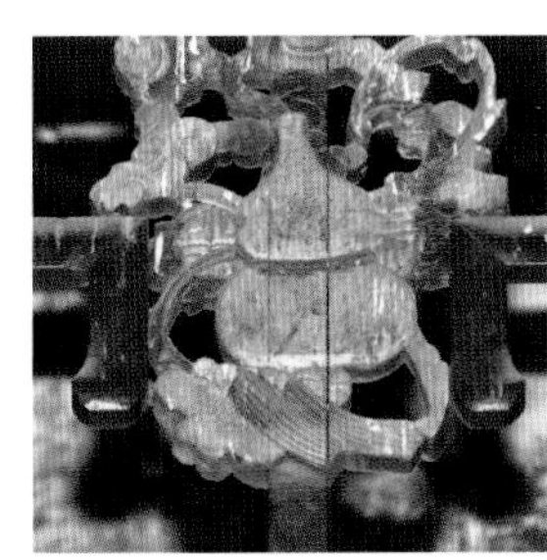

22c　橫披（下層）

魚鼓(張果老)；扇(鍾離權)；葫蘆(鐵拐李)；犀角。

圖4-27：觀廷書室一進後門官/土地

(上)中央一幅卷軸，內書「集福」，
兩側海棠花/柿蒂紋；(下)寶相花；
題字：「門興官賜福」「土旺地生金」。

圖4-28：觀廷書室一進後樑架、廊門及閣樓

24　左樑架、穿插枋、駝峰、迴廊門及閣樓（一進後）

博古、雙錢、「英雄會」。

圖4-29：覲廷書室一進後左迴廊樑架上駝峰

24b

鷹熊(「英雄會」、「青雲直上」、「旭日初升」(寓意文武官祿)。

25c 欄杆 (一進後右迴廊上閣樓)

綠色花瓶形柱，對稱，可開闔。

25d 穿插枋及雀替 (一進右迴廊門)

柿蒂紋、「潮水江牙」；佛手柑、如意雲 (象徵「事事如意」、福、官祿)。

圖4-30：覲廷書室一進後左迴廊天花

26

海棠花 (相信是建築落成以後加設)。

圖4-31：覲廷書室門額

27a 門(一進後南(左)廂房)

蘭芬

蘭：蘭花；芬芳：香氣，比喻品德美好，優秀的孫子。

27b 門(一進後北(右)廂房)

桂馥

桂：桂花；馥：香氣濃烈。優秀的兒子。

27c 門(一進後北(右)側)

鍾靈

鍾靈毓秀

傑出的人材，為名山大川的靈秀之氣所產生。

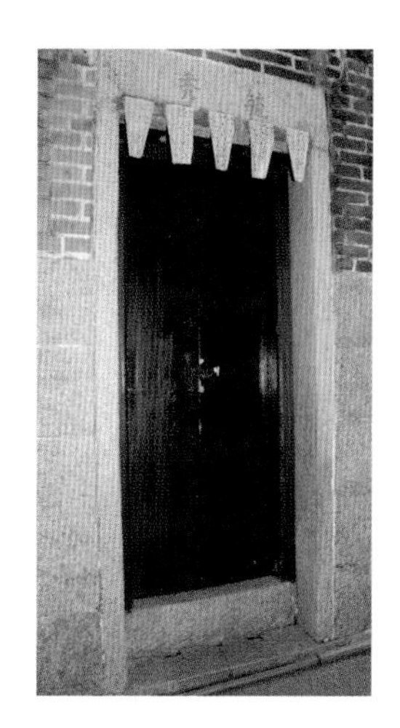

27d 門(一進後南(左)側)

毓秀

毓：養育、孕育、生長之意；秀：才能優異。孕育優異的人才。

27e 門 (二進左廂房)

禀道

禀：承受；承受大自然之道或承傳先賢的道德典範。

27f 門 (二進右廂房)

毓德

培養有德行的人。

「蘭桂齊芳」、「蘭桂騰芳」、「桂馥蘭馨」、「桂子蘭孫」

《晉書》和《五代史》晉朝謝安(有待考證)以芝蘭喻作子侄，五代時的竇禹均把自己五個兒子稱為五桂，他教子有方，五子登科，所以子孫被雅稱為「蘭桂」，象徵子孫成就非凡(野崎誠近，1927/2000，390)。「禀道毓德」一詞來自南朝，梁昭明太子蕭統所編的《文選》第20卷中，顏延年的《皇太子釋奠會作詩一首》，詩中說：「國尚師位，家崇儒門，禀道毓德，講藝立言。」

圖4-32：觀廷書室柱礎

28a 左簷柱柱礎 (一進後)

方柱，四方瓶形，方底座。

28b 右簷柱柱礎(二進前)

方柱，中央八角瓶形、下八角、方底座。

28c 左金柱柱礎(二進前)

圓柱，上下圓柱形，中層圓花瓣形，方底座。

圖4-33：觀廷書室一進右閣樓

東			南	西			北	
(29a)	(29b)	(29c)	(30)	(31a)	(31b)	(31c)	(32a)	(32b)

圖4-34A：觀廷書室一進右閣樓東牆壁畫

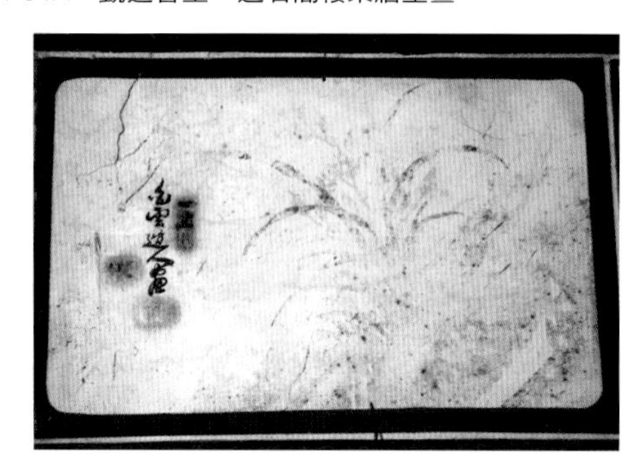

29a 壁畫 (一進右閣樓東牆北端)

圖：蘭花；

題字：「白雲道人畫」(行書)。

29b 壁畫 (一進右閣樓東牆中央)

題字：「同治九年歲次庚午時桂陽月中浣翠石道人偶畫」(行書)。

(同治九年(1870年)八至十月中旬)

29b 壁畫 (一進右閣樓東牆中央)

白菜、山茶花、佛手柑、花瓶、菊花、壽石、雞冠花(象徵福、祿、壽、財)。

圖4-34B：覲廷書室一進右閣樓東牆壁畫

29c 壁畫（一進右閣樓東牆南端）

圖：蘭花(水墨畫)（象徵優秀子孫）；
題字：「半醉山房偶畫」(行書)。

圖4-35：覲廷書室一進右閣樓南隔斷牆/隔間牆壁畫

30

圖：瓜果、壽石（象徵福壽）；
題字：「[半]閒子偶畫」(行書)。

圖4-36A：覲廷書室一進右閣樓西牆壁畫

31a 壁畫（一進右閣樓西牆南端）

題字：「江雨朝飛浥細塵，陽橋花柳不勝春。金安[鞍]白馬來從趙，玉面紅粧本姓秦。」(行書)。

出自唐・宋之問《和趙員外桂陽橋遇佳人》，原文：

「江雨朝飛浥細塵，陽橋花柳不勝春。金鞍白馬來從趙，玉面紅妝本姓秦。妒女憂憐鏡中髮，侍兒堪感路傍人。蕩舟為樂非吾事，自歎空閨夢寐頻。」

釋文：描寫一對男女在清晨細雨紛紛邂逅的情景。看那桂陽橋(在今桂林市)畔的花卉和楊柳，展現一派春光明媚的景色。趙尚書員外郎騎著戴金鞍的白馬，遇到一位像秦羅敷(出自漢樂府《陌上桑》)那樣美麗的紅粉佳人。……(陳貽焮，2001，374)。

原詩寫男女一見鍾情，但終不能成眷屬。這裏只節錄首段，表示世人愛追求美好姻緣。

圖4-36B：覲廷書室一進右閣樓西牆壁畫

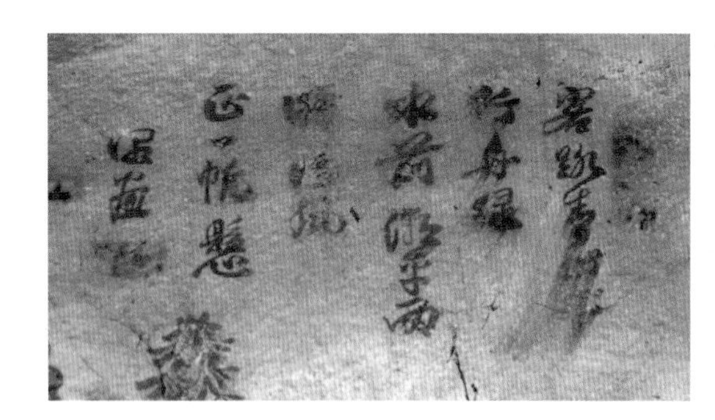

31b 壁畫（一進右閣樓西牆中央）

圖：山、樹、二人在一葉孤舟中；

題字：「客路青山外，行舟綠水前。潮平兩岸闊，風正一帆懸。偶畫」（行書）。

出自唐・王灣《次北固山下》，原文：

「客路青山外，行舟綠水前。潮平兩岸闊，風正一帆懸。海日生殘夜，江春入舊年。鄉書何處達，歸雁洛陽邊。」

釋文：這首詩寫作者作客他鄉的心情。看到北固山(在今江蘇鎮江市北)和長江的青山綠水，水漲的時候兩岸間水面寬闊，在風中一葉孤舟正揚帆前進，呈現一片美好的光景。這裏沒有摘取的部分寫作者思鄉的愁緒。

全詩象徵前途似錦，一帆風順。

31c 壁畫（一進右閣樓西牆南端）

題字：「汀洲無浪復無煙，楚客相思益渺然。漢口夕陽斜渡鳥，洞庭秋水遠連天。」（行書）。

出自唐・劉長卿《自夏口至鸚鵡洲夕望岳陽寄元中丞》，原文：

「汀洲無浪復無煙，楚客相思益渺然。漢口夕陽斜渡鳥，洞庭秋水遠連天。

孤城背嶺寒吹角，獨戍臨江夜泊船。賈誼上書憂漢室，長沙謫去古今憐。」

釋文：在這沒有雲煙和波浪的鸚鵡洲，秋天的洞庭湖水面像連接著天邊。看到漢口的飛鳥在夕陽中紛紛歸巢，留落楚地的客人倍感掛念元中丞……。

原詩是對被貶岳陽的元中丞表示懷念和同情。這裏節錄的部分只描述鸚鵡洲秋天傍晚的景色，引發思念朋友之情。

圖4-37：覲廷書室一進右閣樓北山牆壁畫

32a 壁畫（一進右閣樓北山牆）

壽石、山茶花、鳥（象徵春天，寓意「春光長壽」）。

32b 壁畫（一進右閣樓北山牆）

題字：「羅浮……」（行書）。

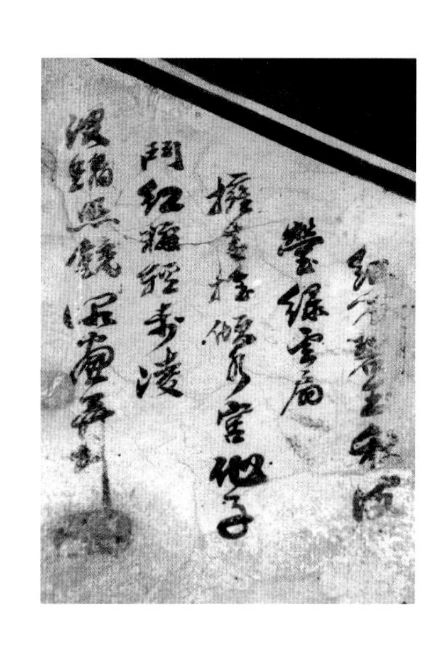

32c 壁畫（一進右閣樓北山牆）

圖：蓮花、蓮葉、蘆葦；

題字：「紅口碧玉秋波瑩，綠雲扇擁青搖傾。水宮仙子鬥紅妝，輕步凌波踏明鏡。偶畫並書」（行書）。

出自宋・張文潛（張耒）《對蓮花戲寄晁應之》詩，原文：

「平池碧玉秋波瑩，綠雲挪扇青搖柄。水宮仙子鬥紅妝，輕步凌波踏明鏡。」

釋文：湖水如鏡，搖曳的荷葉像晃動的扇子，也像綠色的浮雲，讓似仙子的蓮花在一片碧波中爭妍鬥麗。（象徵夏天，生氣勃勃或「一品清廉」、「一路連科」）。

圖4-38：覲廷書室一進左閣樓「藏經閣」

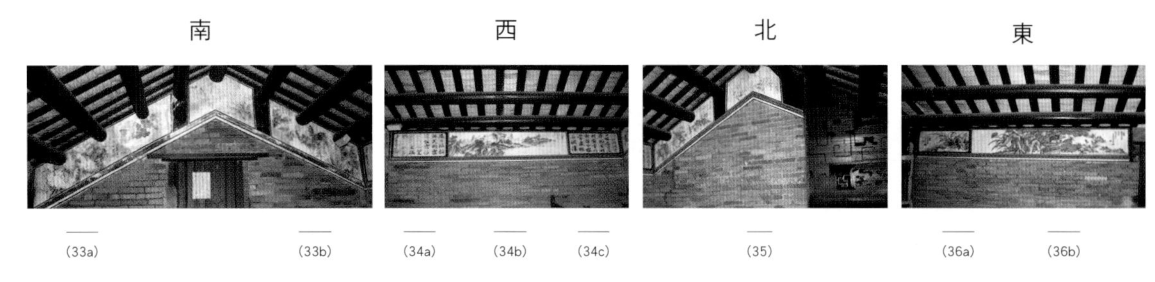

圖4-39：覲廷書室一進左閣樓「藏經閣」南山牆壁畫

33a 壁畫 (一進左閣樓「藏經閣」南山牆東端)

柏樹、鳥。

33b 壁畫 (一進左閣樓「藏經閣」南山牆西端)

圖：菊花、綬帶鳥、壽石；

題字：「輕烟細雨重陽節，曲檻疎籬五柳家。」。

出自宋・劉子翬《詠菊》(與覲廷書室一進後壁畫(15e)相同)。

圖4-40A：覲廷書室一進左閣樓「藏經閣」 西牆壁畫

34a 壁畫

題字：「迢迢綠樹江天曉，靄靄紅霞海日晴。遙望四邊雲接水，碧峰千點數鴻輕。」(行書)。

出自宋・蘇軾《題金山寺回文體》，(參閱(34c))。

圖4-40B：覲廷書室一進左閣樓「藏經閣」 西牆壁畫

34b 壁畫

圖：山水畫；

題字：「浮雲不共此山齊，山靄蒼蒼望轉迷。曉月暫飛千樹裡，秋河隔在數峰西。」

「半醉山房偶寫以為一哂之耳」(行書)。

出自唐・韓翃《宿石邑山中》，與原文相同。

釋文：本詩寫石邑山的山景。石邑山，古縣名，位於今河北省，為太行山餘脈。山勢陡峭，高峻挺拔，縱使浮雲也難以攀登。厚厚的雲層令山色變得深青。走進雲霧間就像入了迷宮。月亮在樹梢間若隱若現地移動，秋天的銀河掩沒在西山的山峰中。詩中描寫遠遊的人在旅途中的感受：對異地感陌生、神秘，旅程艱辛和寂寞(蘇宰西，2006，141)。

作為書室的裝飾，這一幅畫流露讀書人追求的詩情畫意。使「海屋添壽」一類的吉祥畫添上一點雅興。

34c 壁畫

題字：「潮隨暗浪雪山傾，遠浦漁舟釣月明。橋對寺門松徑小，檻當泉眼石波清。」(行書)。

出自宋・蘇軾《題金山寺回文體》，原文：

「潮隨暗浪雪山傾，遠浦漁舟釣月明。橋對寺門松徑小，檻當泉眼石波清。

迢迢綠樹江天曉，靄靄紅霞海日晴。遙望四邊雲接水，碧峰千點數鴻輕。」

「輕鴻數點千峰碧，水接雲邊四望遙。晴日海霞紅靄靄，曉天江樹綠迢迢。

清波石眼泉當檻，小徑松門寺對橋。明月釣舟漁浦遠，傾山雪浪暗隨潮。」

釋文：描寫詩人於冬天觀(金山)寺四周的景色。寺前有小橋流水，潮浪倚著雪山，晚上漁船像在江中釣月，綠樹伴著江邊，落日映照，紅霞片片，遠望雲像連著水，還有數隻飛鳥，點綴著翠綠的山峰。

這是一首回文詩，即是可以回文倒讀，構思巧妙(趙書三，1997，135-135)。

壁畫兩側的題字都是寫山水景致，對中央的壁畫有烘托的作用。加強對畫中意境的聯想。

圖4-41：覲廷書室一進左閣樓「藏經閣」北隔斷牆/隔間牆壁畫

35 壁畫

山茶花、壽石、瓜（象徵多福多壽）（文字不能辨認）。

圖4-42：覲廷書室一進左閣樓「藏經閣」 東牆壁畫

36a 壁畫

圖：蘭花、壽石(象徵子孫)；

題字：「半醉山房偶寫以為一哂之耳」(行書)。

36b 壁畫

圖：二蝴蝶、二大桔、二菠蘿、山茶花、二桃、二葫蘆、金錢、壽石、二棵萬年青、柏樹(寓意多福、多壽)；

題字：「同治九年歲次庚午時桂陽月中浣半醉山房偶畫并書」(行書)。

(桂月即農曆八月，陽月即十月，中浣即中旬)。

圖4-43：覲廷書室一進後迴廊及廂房

右(北)迴廊及廂房

圖4-44：覲廷書室一進後右(北)迴廊封簷板

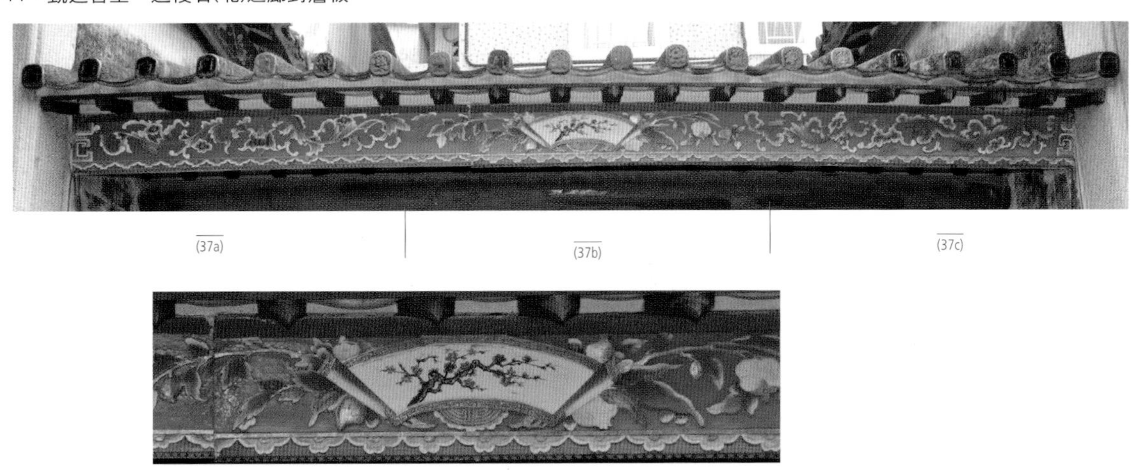

37b 右(北)迴廊封簷板

一幅畫(內繪梅花)、桃、壽字牌、石榴 (象徵「福壽雙全」)。

37c 右(北)迴廊封簷板

卷草、寶相花 (象徵子孫世代綿長)。

圖4-45：覲廷書室一進後左(南)迴廊封簷板

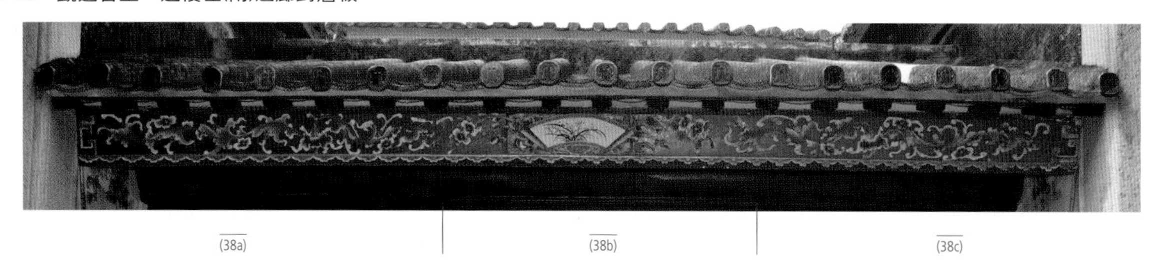

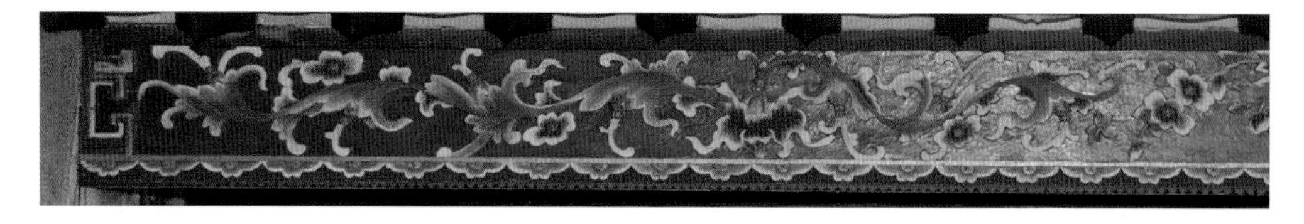

38a 左(南)迴廊封簷板

卷草、寶相花 (象徵子孫世代綿長)。

38b 左(南)迴廊封簷板

瓜及花、壽字牌、佛手柑、一幅畫(繪蘭花)、瓜及花 (象徵「福壽雙全」)。

圖4-46：覲廷書室一進後南(左)迴廊西端廊門

圖4-47：覲廷書室一進後左(南)迴廊東端廊門花罩

39

瓜、牡丹花 (象徵福、富貴)。

圖4-48：覲廷書室一進後迴廊門上的壁畫

40a 南(左)迴廊西端廊門(近一進)上壁畫

圖：梅花 (象徵冬季)。

40b 南(左)迴廊東端廊門(近二進)上壁畫

圖：菊花、綬帶鳥；題字：「採菊東籬下，悠然見南山」(出自東晉・陶淵明《飲酒》詩)(象徵秋季)。

40c 北(右)迴廊西端廊門(近一進)上壁畫

圖：魚、水草、蓮花 (象徵夏季)。

40d 北(右)迴廊東端廊門(近二進)上壁畫

圖：月季花、綬帶鳥；題字：「半醉山房偶畫」(象徵春季)。

圖4-49：覲廷書室一進後右(北)廂房隔扇門

41 隔扇門 (一進右廂房)

隔扇門：一般四扇為一間，每扇上下分四段，首部為頂板，次為格心(隔心)，中為腰板(絛環板)，下為裙板四部分。此隔扇門沒有腰板部份。

頂板：飾淺浮雕如意一雙，呈交叉形，中央繫紅綵帶；

格心(隔心)：飾透刻如意、八角形、菱形、瓜、瓜蒂、海棠，框架中央鑲琉璃；

裙板：飾淺浮雕博古架，其上擺放佛手柑、花瓶，花瓶內插微泛青綠色的蓮花蕾、孔雀毛。

青蓮與清廉同音，蓮是花之君子，宋代周敦頤的《愛蓮說》以讚美蓮花的潔身自愛，比喻人在世俗中不貪求名利財富而污損自身，勉勵人們保持廉潔的高尚品德情操。

此圖的蓮花象徵「一品清廉」；珊瑚的佩玉和孔雀尾毛是清朝一品官的服飾(象徵「頂戴花翎」)。二者結合寓意祈求官祿。

整體寓意福祿如意。

圖4-50：覲廷書室一進後右(北)廂房漏窗

42 漏窗

藍色，中央海棠花，中心柿蒂紋，四角如意紋（象徵「滿堂如意」、「事事如意」）。

圖4-51：覲廷書室一進後北(右)廂房西扇面牆壁畫

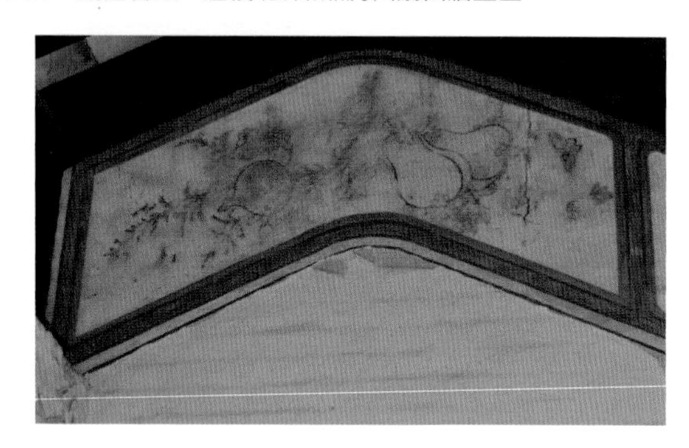

43a 壁畫（北(右)廂房西側山牆）

瓜、蝴蝶、石榴（象徵福/多子）。

43b 壁畫（北(右)廂房西扇面牆）

圖：桃、桃花、綬帶鳥、壽石；

題字：「半醉山房偶畫」(行書)（象徵長壽）。

圖4-52A：覲廷書室一進後北(右)廂房壁畫

44a 壁畫（北(右)廂房北牆）

圖：二熊(雙尾)、鳥(鷹)；

題字：「英雄會」「半閒子畫」(行書)。

石灣的傳統以雙尾表達「熊」，其他工藝亦然。熊的旁邊有一隻鷹，有時候是一隻鸚鵡或其他鳥類，「鷹」諧音「英」，「熊」諧音「雄」，故稱「英雄會」。

進一步的分析是：清官服的補子中，以各種鳥類象徵文官，獸類象徵武官。根據《大清會典圖》繪文官補子：一品(鶴)、二品(錦雞)、三品(孔雀)、四品(雁)、五品(白鷴)、六品(鷺鷥)、七品(鸂鶒)、八品(鵪鶉)、九品(練雀)；《大清會典圖》繪武官補子：武一品(麒麟)、二品(獅)、三品(豹)、四品(虎)、五品(熊)、六品(彪)、七品(犀)、八品(犀)、九品(海馬)、從耕農官(彩雲捧日)。

「英雄會」象徵希望獲得文、武官職。此是香港古建築最常見的題材。

圖4-52B：覲廷書室一進後北(右)廂房北牆壁畫

44b 壁畫 (北(右)廂房北牆)

(不能辨識)

44c 壁畫 (北(右)廂房北牆)

圖：二長鬚老人，一持葫蘆，一探視葫蘆內、一童僕、一酒罈；

題字：「壺裏乾坤」(隸書)「…何物…」(行書)。

明・朱有燉《神仙會》第一折：「羅浮道士誰同流，草衣木食輕諸侯，世間甲子管不得，壺裏乾坤只自由。」指道家的神仙生活。同「壺中日月」。

《後漢書・費長房傳》(轉引自尹奎友，1996，77) (或)晉・葛洪《神仙傳・壺公》(轉引自王建平(編)，2005，100)載東漢時期，一個管理市場的小吏費長房在樓上看見一位賣藥的老翁在市集人散後，跳入掛在門頭的葫蘆中。次日，老翁讓長房一起跳入壺中。只見壺中亭台樓閣，一片仙宮世界，二人暢飲後才出來。後人以「壺中日月」指仙道生活，「壺中天地」指神仙超凡脫俗的境界。

44d 壁畫 (北(右)廂房北牆)

圖：鳳凰、太陽、樹、靈芝；

題字：「雙鳳朝陽」(楷書)「翠石偶畫」(行書)。

圖4-53A：覲廷書室一進後北(右)廂房東扇面牆壁畫

45a 壁畫 (北(右)廂房東扇面牆)

圖：牡丹花、壽石；

題字：「若教解語應傾國，任是無情也動人。」「半閒子偶畫」(行書)。

出自唐・羅隱《牡丹花》，原文：

「似共東風利有因，絳羅高卷不勝春。若教解語應傾國，任是無情亦動人。

芍藥與君為近侍，芙蓉何處避芳塵？可憐韓令功成後，辜負穠華過此身。」

釋文：美麗的牡丹花若能通解人意，必然十分吸引，而且會成為傾國傾城的美人。其他花卉怎可與之相比？人們若不懂得欣賞它，實在是太可惜了！

「解語花」典出王仁裕《開元天寶遺事・解語花》：『(唐)明皇秋八月，太液池有千葉白蓮數枝盛開，帝與貴戚宴賞焉。左右皆歎羨久之。帝指(楊)貴妃於左右曰：「爭如我解語花？」』後常以「解語花」喻美人(羅青(等)，2003，189)。

盛讚牡丹花的美豔動人，寓意美麗/富貴人人愛。

圖4-53B：覲廷書室一進後北(右)廂房東扇面牆壁畫

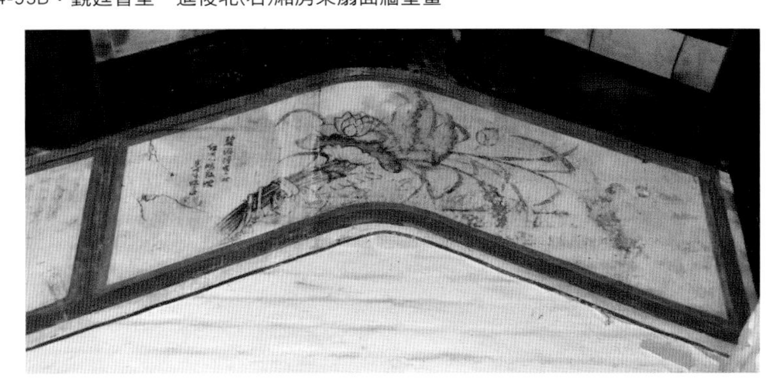

45b 壁畫 (北(右)廂房東扇面牆)

圖：蓮花、蘆葦(象徵「一路連科」)；

題字：「碧沼停寒玉，紅蕖映綠波。」「半閒子偶畫」(行書)。

出自宋・明・申時行《蓮花》：

「碧沼渟寒玉，紅蕖映綠波，妝凝朝日麗，香逐晚風多，游戲金鱗出，驚飛翠羽過，納涼依水榭，還續採蓮歌。」

釋文：形容紅色的蓮花在片片綠葉、碧波中相映成趣。

圖文結合，寓意官祿。

圖4-54：覲廷書室一進後南(左)廂房東扇面牆壁畫

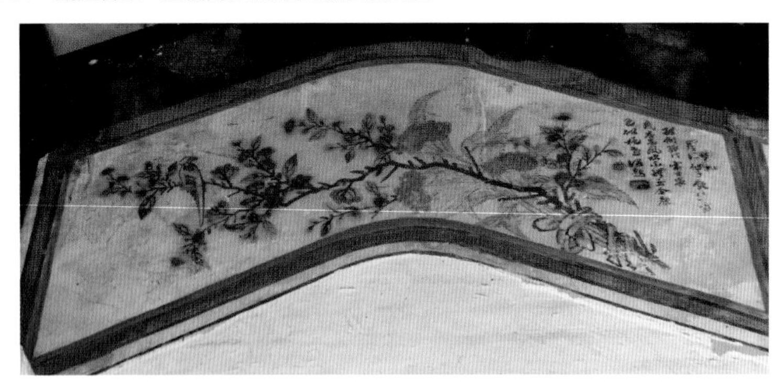

46a 壁畫 (南(左)廂房東扇面牆)

圖：綬帶鳥、折枝(杏花)、雞冠花束 (象徵「春光長壽」、官祿)；

題字：「羅浮仙子飲流霞，醉倒孤山處士家，幾度春風吹不醒，至今顏色似桃花。」「偶題」(行書)。

有記載是清代畫家張瑨在「花鳥四條屏」畫中的題詩(尚待考證)。(見覲廷書室一進後左隔斷牆/隔間牆內壁畫 (15a))。

46b 壁畫 (南(左)廂房東扇面牆)

桃、綬帶鳥(象徵長壽)。

圖4-55：覲廷書室一進後南(左)廂房南牆壁畫

47a 壁畫 (南(左)廂房南牆)

圖：麒麟、二兔、一卷軸 (象徵得賢能子孫)；
題字：「麟吐玉書」(隸書)「翠石偶畫」(行書)。

47b 壁畫 (南(左)廂房南牆)

圖：書，書本名稱：《明心□□論》「省城福□棠藏板」(楷書)、蝴蝶(象徵壽)、花瓶、瓜(象徵福)、雙錢(象徵「福壽雙全)；
題字：「白雲道人畫」(行書)。

47c 壁畫 (南(左)廂房南牆)

題字：「一團和氣」「流□□財□□□□同治九年歲次庚午時□□南□翠石偶畫以為一哂之耳」(行書)。

47d 壁畫 (南(左)廂房南牆)

圖：獅子、燕子；
題字：「二獅譜燕」(隸書)。

燕子常與杏花一起，表示「杏林春燕」。進士科舉考試通常在二月進行，剛巧是杏花盛放的季節，因此杏花又稱及第花。如前述(參考愈喬二公祠壁畫)明・張新：「燕子飛時花正開，報道狀元歸去也」，燕子與科舉及第的喜訊相關。天子亦賜宴予及第者，燕和宴同音，因此象徵金榜題名。另外，燕子也是長春吉祥之鳥。獅可以象徵太師、少師或二品武官，二獅可能象徵「官帶傳流」之意。

圖4-56：覲廷書室一進後南(左)廂房扇面牆壁畫

48a 壁畫 (南(左)廂房西扇面牆)

三圓形果實、喜鵲 (行書) (象徵「連中三元」)。

48b 壁畫 (南(左)廂房西扇面牆)

圖：玉蘭樹(木筆花/木蓮花)、柏樹 (寓意「貴壽無極」)；
題字：「木□結子千般□，富貴開花一品仙」(行書)。

圖4-57：覲廷書室二進前

圖4-58A：覲廷書室二進前正脊

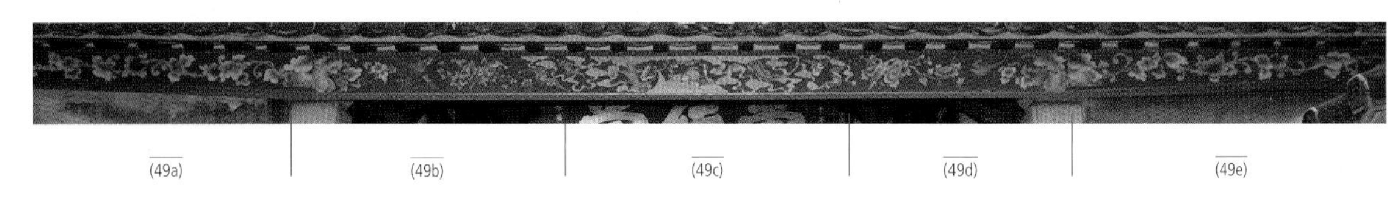

(此脊在1990年覆修時由佛山工匠製成)

49a 正脊 (覲廷書室二進前)

博古

49b 正脊 (覲廷書室二進前)

二大麒麟、一小麒麟 (象徵子嗣或一品武官)。

49c 正脊 (覲廷書室二進前)

蓮花、鴛鴦(象徵夫妻之道)、菊花、壽石、月季花、二飛鳥、綬帶鳥(象徵「齊眉祝壽」)、梅花、燕子(象徵燕侶：夫妻；「杏林春燕」：「狀元及第」的報喜鳥) (整體象徵「鴛鴦貴子」、長壽、官祿)。

49d 正脊 (覲廷書室二進前)

壽石、竹、公母鹿、月季花、「佛山造」、四印章 (象徵祝壽)。

圖4-58B：覲廷書室二進前右垂脊

50 垂脊

博古龍

圖4-59：覲廷書室二進右山牆博縫

3g 山牆博縫(二進右東)

蝴蝶、壽石、喜鵲、杏花、松樹(象徵福、壽、功名利祿)。

3h 博縫(二進右山牆西)

花卉、壽石。

圖4-60A：覲廷書室一進與二進間天井女兒牆

4d

拐子紋

圖4-60B：覲廷書室二進左山牆

圖4-60C：覲廷書室二進左山牆博縫

3e

牡丹花(象徵富貴)；梅花、喜鵲(象徵「喜上眉梢」)；壽石。

3f

壽石、樹。

圖4-60D：覲廷書室二進山牆山尖灰塑(山花)

4e 山花(二進左山牆)

(上)垂脊：書、拂塵、古陶瓶(古物)；
(下)山尖/山花：蝙蝠、花籃、花卉、博古、錢(象徵「福到平安」、「福到眼前」)。

4f 山花(二進右山牆)

三蝙蝠、磬、石榴。

圖4-61：覲廷書室二進前台階及垂帶

52a 台階

五級

52b 垂帶

祥雲、前端鼓形(與清暑軒及述卿書室相同)。

圖4-62：覲廷書室二進前封簷板

53a 封簷板（二進前）

瓜、葉、花（象徵子孫萬代）。

53b 封簷板（二進前）

瓜、花、蝴蝶、喜鵲、蜻蜓(象徵清廷)、牡丹花、蝴蝶(倒轉)(象徵福到)。

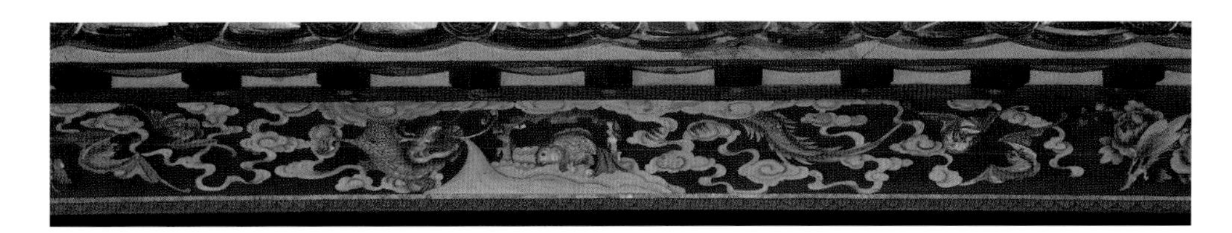

53c 封簷板（二進前）

二蝠、祥雲；龍、禹門、鯉魚(象徵「鯉躍龍門」)；二蝠、祥雲(象徵「福從天降」)。

53d 封簷板（二進前）

牡丹花、蝴蝶、喜鵲、瓜（象徵富貴、福、壽、喜）。

圖4-63：覲廷書室二進前樑架

圖4-64：覲廷書室二進前中央額枋

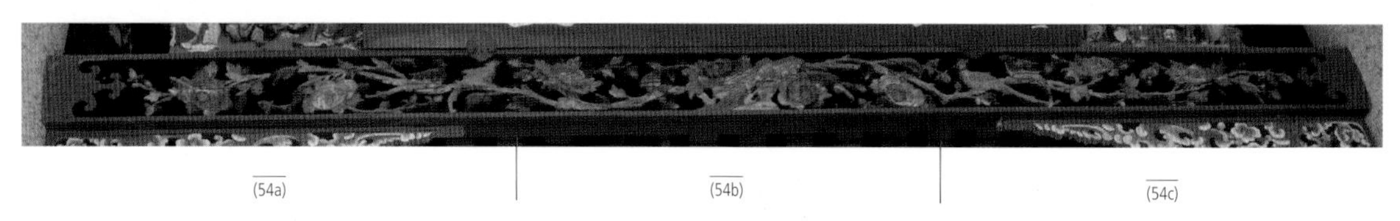

牡丹、二綬帶鳥、牡丹、壽石、二綬帶鳥、牡丹(象徵「長命富貴」)。

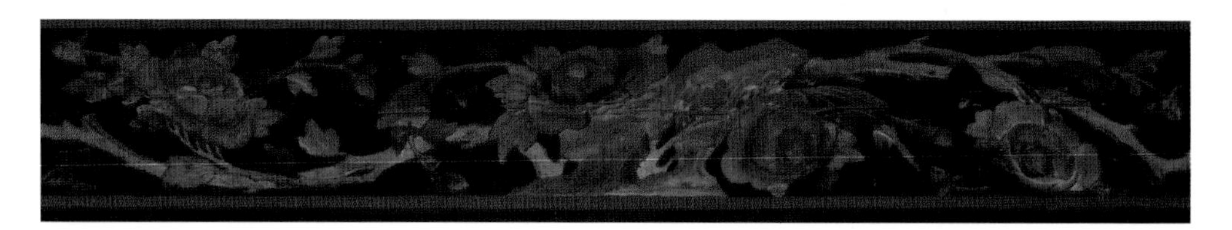

54b 額枋 (二進前中央)

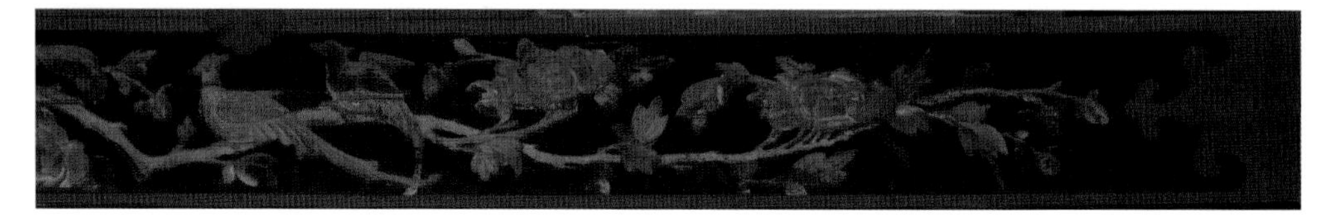

54c 額枋 (二進前中央)

圖4-65：覲廷書室二進前中央額枋下雀替

56b

綬帶鳥、牡丹花、海棠花 (象徵「長命富貴」)。

圖4-66：覲廷書室二進前中央額枋上駝峰

55a 右駝峰 (二進前中央額枋上)

一持扇女子，呈驚訝狀；一年青少將，穿改良靠(即沒有靠肚)，戴太子盔，呈抵禦姿勢；一年長者(有鬚)(戴相貂/相紗，穿官服)提著畫戟，刺向少將。

「董太師大鬧鳳儀亭」(出自《三國演義》第八回，羅貫中，明/2004，44-48)。

司徒王允用美人計離間董卓與呂布。他先將貂蟬許配給呂布，其後又把她獻與董卓，企圖令他們父子反顏。一日，董卓入朝議事，布提戟入相府後堂，在鳳儀亭下與貂蟬相會。董卓回府，看見二人在一起，卓即拾起畫戟，擲向呂布，呂布回身便走。

寓意子弟應謹言慎行，遵禮守規(此圖在1990覆修時製，色彩鮮艷，與兩側樑架上的駝峰風格大相逕庭)。

55b 左駝峰 (二進前中央額枋上)

一赤身打虎的武打英雄，戴羅帽(粵劇稱蓮子帽)，額前戴如意形的茨菰葉(形如箭頭，是英雄俠客所用)，腰繫丁字帶，束裹腿，他一手按著老虎，一手揮拳。一人穿打衣(抱衣)，腰繫丁字帶，外披華麗錦袍，頭戴武生巾(左右有如意耳子)，額前也有茨菰葉(象徵武打人士)，一腳踏在石上(象徵粗莽不羈)。一女子身穿素服，倚在欄杆側。

出自《水滸傳》第二十三回至二十六回(施耐庵，明/2004，188-230)/戲曲劇目「獅子樓」。

武松在景陽岡打死猛虎後回家，在陽谷縣遇兄武大郎，武大已娶妻潘金蓮，其後武松拜別兄嫂監押車子往東京去。王婆用計令潘金蓮勾搭上西門慶，武大到紫石街捉奸，不久更被金蓮毒死。武松回家後得知長兄慘被妻子毒殺，忿然向潘金蓮和王婆查問，並殺死潘金蓮和西門慶為兄報仇，然後到衙門投案。

圖中打虎者應為武松，披華服者為西門慶，穿素服者為潘金蓮。告誡子孫應守禮守規(此圖與(55a)為一對，可能都是在1990覆修時製)。

圖4-67：覲廷書室二進前簷廊左右楺架

57a 右楺架 (二進前簷廊)

57b 左楺架 (二進前簷廊)

圖4-68A：覲廷書室二進前簷廊左右楺架上駝峰

58c 駝峰 (二進前簷廊右楺架下層)

背景為一城牆，中央的城門緊閉，城上站著一長鬚人物，頭戴道巾，身穿大襟三色(深藍、天藍、白色)綢緞坎肩道服，一手撥鬚，一手揮動拂塵。年青武將(沒有鬚)穿靠，背有四面方形靠旗，頭戴霸盔，上插雉尾，額前有茨菰葉，手握關刀。少將背後的軍官(戴中軍盔)，手持「姜」字帥旗。

「姜伯約歸降孔明」(出自《三國演義》第九十三回，羅貫中，明/2004，545-547)。

姜維，字伯約，天水冀人，事母至孝，文武雙全，智勇足備，能識孔明計，為天水郡城守將。孔明屢攻不下，用計引姜維到冀縣，又命人往天水城外假扮姜維降蜀，繼而攻破冀縣，姜維兵敗後回天水，天水城軍罵他為叛將，不肯開城門，姜維不得已，唯有降蜀，孔明得獲良才。

圖中在城上穿道服的應為孔明，少將為姜維。寓意子弟能文武兼備，投賢人麾下，發揮所長。

58d 駝峰(二進前簷廊左楺架下層))

二小生穿褶子(海青)，戴文生巾，一人抬著一柄飾有如意形的棒狀物，另一人手執摺扇和籃子，正欲過橋渡江。一女士手執官扇在一建築物內，背後站著一名拿著拂塵的僕人。建築物前面有一頭小狗迎著來客。

「吳國太佛寺看新郎」(出自《三國演義》第五十四回，羅貫中，明/2004，311-314)。

周瑜獻計，欲借招劉備入贅東吳，續娶孫權妹，引劉備過江，藉機幽囚劉備，使能討回荊州。孔明命人把劉備迎娶孫權妹的事大事鋪張，令吳國太得知。吳國太於是約劉備在甘露寺相見，若合意的話，才答允招他為婿，最終劉備迎娶孫權妹後能平安回國。劉備過江招親的故事到今仍家傳戶曉，戲曲的劇目名為「龍鳳呈祥」，「甘露寺」也是常見的建築裝飾題材，如佛山祖廟瓦脊裝飾(馬素梅，2009，19)。圖中提扇子的應為劉備，挑著棒狀物的應為趙子龍，在建築物內等候來賓到訪的應為吳國太，拿著拂塵的僕人應為太監。象徵婚姻美滿。

圖4-68B：覲廷書室二進前簷廊左右樑架上駝峰

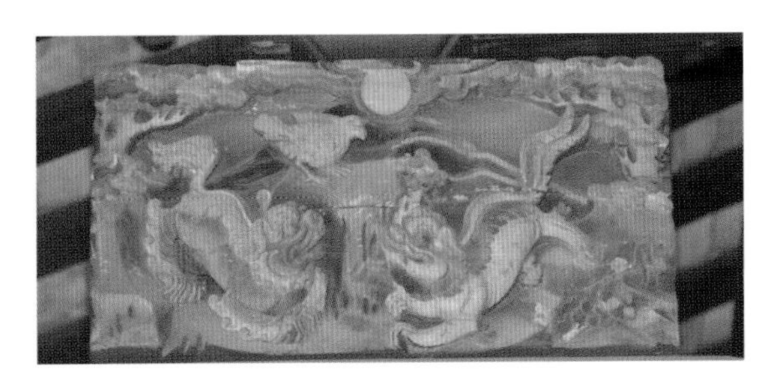

58a 駝峰（二進前簷廊右樑架上層）

禽鳥、獅子、熊(寓意「英雄會」)、「旭日初昇」(象徵文武官祿、升官)。

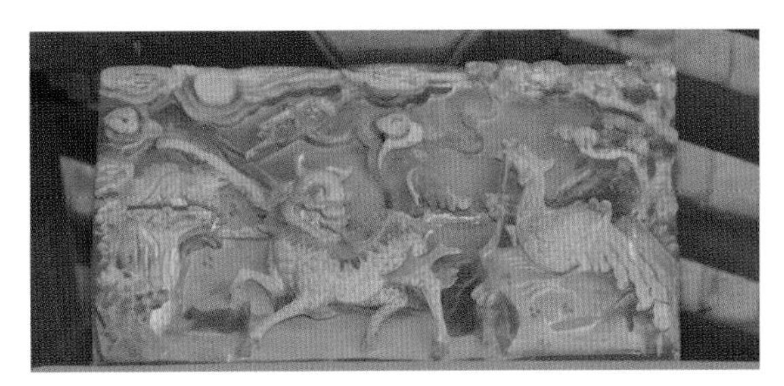

58b 駝峰（二進前簷廊左樑架上層）

麒麟、鳳(含綵帶，綵帶繫如意)、「旭日初昇」(象徵「麟鳳呈祥」或「麟子鳳雛」)。

圖4-69：覲廷書室二進前中央額枋上匾額

59 匾額

題字：「光緒十年孟冬穀旦 崇德堂 順德梁澄書」。

「崇德堂」是鄧氏族人管理覲廷書室等祖業的機構。

圖4-70：覲廷書室二進偏廳樑架

60 樑架(二進左偏廳)

60a 花罩(二進左偏廳)

花罩：中央為葡萄，左右有蝙蝠祥雲(福自天來)、瓜(象徵多子)；博古(藍色)、桃、壽字牌(象徵多壽)；隨樑枋：「潮水江牙(崖)」(象徵「江山社稷」，即官祿)(與61a同)。

圖4-71：覲廷書室二進偏廳樑架上駝峰

62a 駝峰（二進左偏廳東端）

「帶子上朝」（1990年覆修時製成）。

62b 駝峰（二進左偏廳西端）

佛手柑（象徵福）（1990年覆修時製成）。

圖4-72：覲廷書室二進偏廳隔扇門

64a 隔扇門（二進右偏廳）

64b 隔扇門(二進左偏廳)

64c 隔扇門（二進右偏廳）

頂板：蘭花(四君子之一)；隔心：透刻，桃、倒轉蝴蝶、花籃、花卉、二蝙蝠、拐子、海棠/柿蒂、卷草、桃(象徵「福到平安」、「福壽雙全」)；裙板：竹(四君子之一)。

圖4-73：觀廷書室二進正廳簷牆壁畫

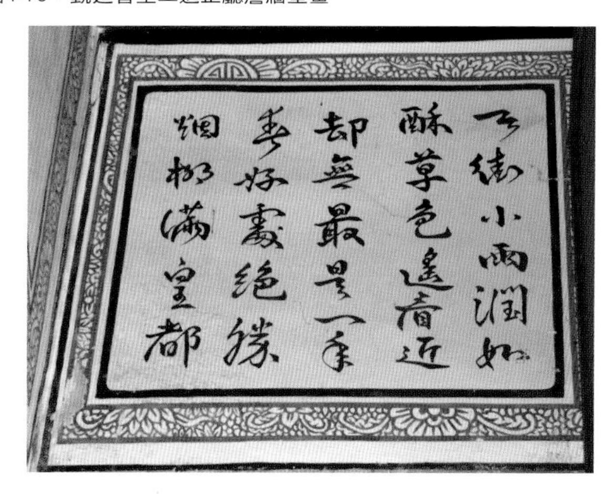

65a 壁畫 (二進正廳神龕右側簷牆)

題字：「天街小雨潤如酥，草色遙看近卻無。最是一年春好處，絕勝煙柳滿皇都。」(行書)。

出自唐・韓愈《早春呈水部張十八員外》，(與原文同)。

釋文：詩中描寫京城早春的雨天景色。長安街上毛毛細雨像酥油般綿密，遠看草色很淡，草芽纖細，近看也就不易清楚見到，這就是一年最好的春天季節，生氣蓬勃。這風景比較滿城楊柳的暮春更令人神往(朱道初，2001，140)。

寓意春天是一年伊始，萬象更新，有無限的生機。

65b 壁畫 (二進正廳神龕左側簷牆)

題字：「春城無處不飛花，寒食東風御柳斜。日暮漢宮傳蠟燭，輕煙散入五侯家。」(行書)。

出自唐・韓翃《寒食》，(與原文同)。

釋文：京城處處柳絮飛舞，寒食節來到了，柳樹隨東風飄揚。夜色降臨，皇宮中傳出賞賜的新火，已進入五侯之家了。王曙(2002，255)認為這五侯指東漢時期的五名宦官，因助皇帝剷除外戚之患，而養成了宦官干預朝政的勢力。韓翃對此感到憂慮。

寓意對春天寄予「飛黃騰達」的厚望。

65c 壁畫 (二進正廳右隔斷牆/隔間牆)

壽石、茶花二款 (象徵「春光長壽」)。

65d 壁畫 (二進正廳左隔斷牆/隔間牆)

瓜、石榴、壽石 (象徵福壽)。

圖4-74A：觀廷書室二進右偏廳北山牆壁畫

圖4-74B：覲廷書室二進右偏廳北山牆壁畫

66a 壁畫 (二進右偏廳北山牆)

山、樹。

66b 壁畫 (二進右偏廳北山牆)

竹、松、圓形果實(象徵祝福、祝壽)。

66c 壁畫 (二進右偏廳北山牆)

海屋添壽 (象徵長壽)。

圖4-75：覲廷書室二進左偏廳南山牆壁畫

67a 壁畫 (二進左偏廳南山牆)

桃、花籃、心形外框(其他古建築少見此形，在1990年覆修時已是如此) (象徵長壽)。

67b 壁畫 (左偏廳南山牆)

山水畫

67c 壁畫 (二進左偏廳南山牆)

菊花、壽石 (象徵長壽)。

圖4-76：覲廷書室二進左偏廳西扇面牆壁畫

68c 壁畫（左偏廳西扇面牆）

花籃、菊花、二蝴蝶、二棵白菜（象徵長壽）。

68a 壁畫（二進左偏廳南山牆）

圖：書本，上書「全通勝」、綬帶，上書「同治九年」「歲次[庚午]」、文章冊頁、花瓶、杏花、蘆葦、如意、拂塵(有神仙庇佑)、孔雀毛(花翎)、頭長一角的含環瑞獸(龍生九子之一椒圖或夔龍「夔龍拱璧」)（與(64c)配合，寓意「進士及第」、「二甲傳臚」）；

題字：「全通勝」（楷書）「同治九年」「歲次[庚午]」（楷書）「翠石畫」（行書）。

68b 壁畫（左偏廳西扇面牆）

圖：在山野間有一穿學士衣及戴學士巾的仕人，倚在書本和古琴側，身旁有童僕煮酒；

題字：「太白醉酒」（隸書）；「李白斗酒詩百篇，長安市上酒家眠。天子呼來不上船，自稱臣是酒中仙。翠石畫」（行書）。

出自唐・杜甫《飲中八仙歌》

釋文：太白作詩離不開飲酒，飲酒除了令他詩興大發外，醉後也盡顯他狂放不羈和傲慢的性格。由於人人皆知他是一個酒徒，所以特別容忍他不顧常規的行為。作為翰林院的一個待詔，他竟常醉倒於長安的酒家，甚至皇帝召他回宮，他也不大願意上船。口中還喃喃自語，說：「自己是酒中神仙」（謝楚發，1996，269-270）。

「太白醉酒」是香港古建築駝峰的常見題材，由於缺乏標題，難以作出鑑別。這幅壁畫圖文配合，畫意清晰，可以作為相關題材的佐證。

「太白醉酒」是古時流行的戲曲曲目，戲曲中的「太白醉酒」/「進蠻詩」是講述太白在酒醉後寫詩，得以吐氣揚眉的故事。故事鋑述唐明皇時，有外邦遣使進表。表用番文撰寫，朝中無人識讀。有人舉薦太白。太白到達宮中時正酒醉未醒，因他曾受楊國忠、高力士等的惡氣，所以要楊國忠替他磨墨，高力士替他脫靴，才肯下筆書寫。由於太白醉酒，兩人無可奈何。最後太白讀出番文，並以番文草擬覆函，交來使，囑不要妄想取得中國(劉爭義(編)b，1915/1990，124)。這一場景可見於廣州陳氏書院的屋脊裝飾，但少見於香港的古建築裝飾。

圖4-77：覲廷書室二進右偏廳西扇面牆壁畫

69a 壁畫（右偏廳西扇面牆）

圖：柏樹(象徵長壽)與八哥鳥；

題字：「花鳥能言咲[笑]，逢人也不驚。偶筆」(行書)。

69c 壁畫（右偏廳西扇面牆）

圖：圓果(象徵狀元)；書，上有題字「第八才子」(楷書)；綬帶，上有題字「狀元及第」(楷書)；倒轉蝴蝶、錢(象徵「福到眼前」)；花瓶，上有含環瑞獸（龍生九子之一椒圖)及插杏花(象徵狀元)；文章冊頁、博古（象徵博學古典詩書）。

清粵劇《花箋記》最早的版本名《靜淨齋第八才子花箋記》，劇中主角是才子梁芳州，字亦滄。父親是學士，母親極賢良。梁芳州的「貌比春紅添月色，才如鮮錦燦雲光。風流好似騎鯨客，雅緻猶如跨鳳郎。年登十八叨儒列，只待飛騰上帝邦。」(薛汕，1985，1及4)。此圖(與(63a)配合，寓意「狀元及第」、福祿、優秀有才能的子孫)。

69b 壁畫（右偏廳西扇面牆）

圖：一長鬚老翁倚在桌子側觀賞一名仕人的揮毫，另一年青官也樂在其中；另一端二童僕中一人抱琴，一人奉茶點。畫的一端桌子上擺放佛手柑(象徵福)，中央有柏樹(象徵長壽)；

題字：「郭子儀祝壽」(隸書)「福如東海年年在，壽比南山日日增。」「半閒子偶畫」(行書)。

壁畫展示安享晚年，與子孫或朋友共聚一堂的快樂景象（象徵「福壽雙全」）。

圖4-78：覲廷書室二進正廳花罩及神龕

圖4-79：覲廷書室二進正廳花罩

70a 花罩（二進正廳）

中央為一幅卷軸，上書「吉祥如意」和繪畫菊花，另有瓜、桃、桃花、牡丹花（象徵福、壽、富貴、吉祥）。

70b 花罩（二進正廳）

博古、瓜、桃、桃花（象徵多福多壽）。

70c 花罩（二進正廳）

博古、桃、瓜、葡萄、石榴、蓮花、蓮葉、蓮蓬（象徵多子）

圖4-80：覲廷書室二進閣樓隔扇門

71b 隔扇門（二進左閣樓）

71c 隔心

頂板：菊花(象徵壽或四君子之一)；格心(隔心)：祥雲、倒轉蝙蝠、花籃、花卉、瓜、卷草、盤長(象徵「天降鴻福」、「福到平安」、多子、子孫世代綿長)；裙板：竹(象徵恭祝或四君子之一)。

圖4-81：覲廷書室二進右閣樓壁畫

72a 壁畫（二進右閣樓北山牆內）

(不能辨認)

72b 壁畫（二進右閣樓東簷牆）

圖：月季花、綬帶鳥(象徵長壽)；

題字：「半醉山房偶畫」。

72b 壁畫（二進右閣樓東簷牆）

圖：屋、樹、石（與一進前左簷牆壁畫(9a)相同）；

題字：「[青櫪林深亦有人，一渠流水數家分。山當日午]迴峰影，草帶泥痕過鹿群。白雲道人偶畫」(行草)。

72b 壁畫（二進右閣樓東簷牆）

梅花、喜鵲、竹(象徵「喜上眉梢」)。

72c 壁畫（二進右閣樓南隔斷牆/隔間牆）

松樹（象徵長壽）。

圖4-82：覲廷書室二進左閣樓壁畫

73a 壁畫（二進左閣樓北隔斷牆/隔間牆）

竹、壽石、石榴、喜鵲、黃色杏花（象徵祝福、祿、壽、喜）。

73b 壁畫（二進左閣樓東簷牆）

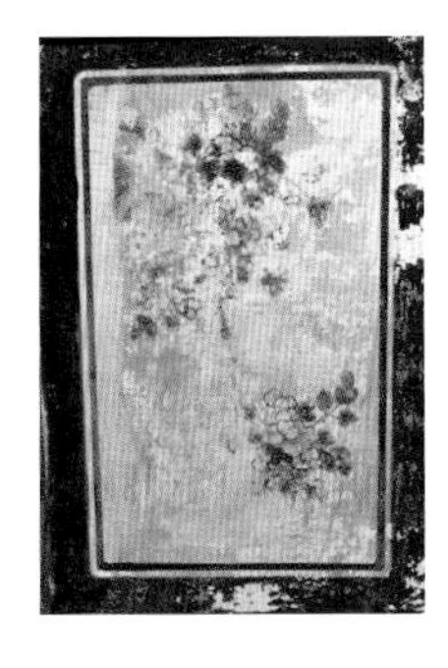

牡丹花（象徵富貴）。

圖：南端二人過橋；

題字：「雪滿山中高士臥，月明林下美人來。」（行書）。

出自明・高啟《詠梅》（《梅花九首》中的第一首），原文：

「瓊姿隻合在瑤臺，誰向江南處處栽。雪滿山中高士臥，月明林下美人來。寒依疏影蕭蕭竹，春掩殘香漠漠苔。自去何郎無好詠，東風愁寂幾回開？」

釋文：「在大雪覆滿深山之中，那位高士還高臥不起；明月照在梅林之下，有個美人卻悄然到來。」（劉逸生，1983，183）。

以梅的耐寒喻品格清高。引申此地人傑地靈，能廣納賢人。

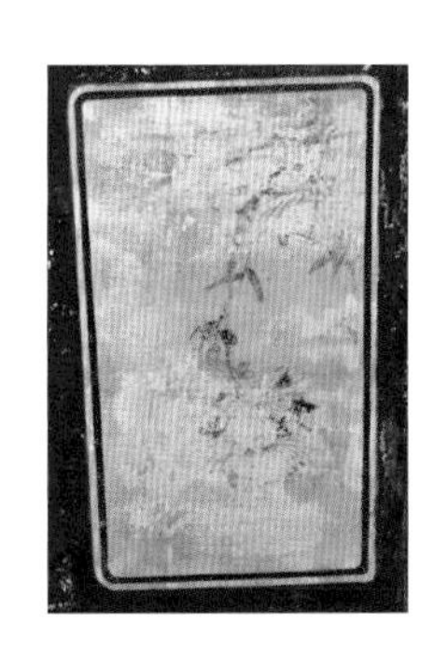

菊、竹（象徵祝壽）。

73c 壁畫(二進左閣樓南山牆內)

松、竹、梅（象徵「歲寒三友」）。

圖4-83：覲廷書室二進右閣樓樓梯頂欄杆

花瓶形

圖4-84：覲廷書室二進後正脊

（此脊在1990年覆修時由佛山工匠製成）

75a

博古（象徵崇古或子孫世代綿長）。

75b

二人在竹林中暢談，一持扇子；竹、壽石（象徵祝壽）。

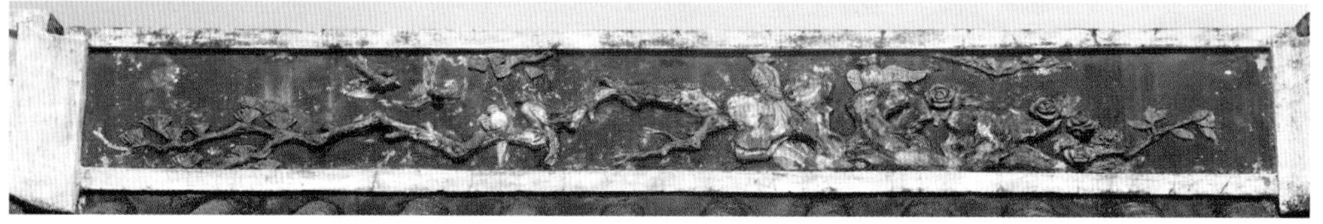

75c

月季花、綬帶鳥、壽石、松樹、喜鵲（象徵長壽）。

75d

梅花/桃花、二人舉爵暢飲，一持扇子，桌子上有圓形水果及瓶子(象徵「加官晉爵」)。

圖4-85：覲廷書室二進後垂脊

博古(象徵崇古或子孫世代綿長)。

清暑軒

屏山古建築裝飾題材

圖5-1A：覲延書室與清暑軒間迴廊門及清暑軒

建築沿革

有關清暑軒的歷史資料不多，只知道是在覲廷書室建成後不久，由鄧香泉興建，作為招待到訪文人墨客的居所。清暑軒受香港賽馬會贊助，在1993年底完成修繕

建築結構

清暑軒與常見的傳統建築不同，沒採用中軸對稱格局，建築呈曲尺形，大門設在建築側，面向覲廷書室，外有迴廊門，把兩建築物相連；迴廊上層還改建成通道，可以進入覲廷書室一進閣樓的「藏書閣」。清暑軒的建築樓高兩層，都是硬山式的屋頂。地面和閣樓均有正廳，門樓以上有廂房，地面正廳只在右側有廂房，左側有迴廊，迴廊末端為浴房，建築最左方另設廚房，正廳前有一天井。全所建築有多種不同款式的門窗和花罩，各門頭和拱卷也飾有精美的灰塑，可反映清末時期，中西文化共融的情況。

圖5-1B：覲廷書室與清暑軒

圖5-1C：清暑軒

圖5-2A：清暑軒地面平面圖

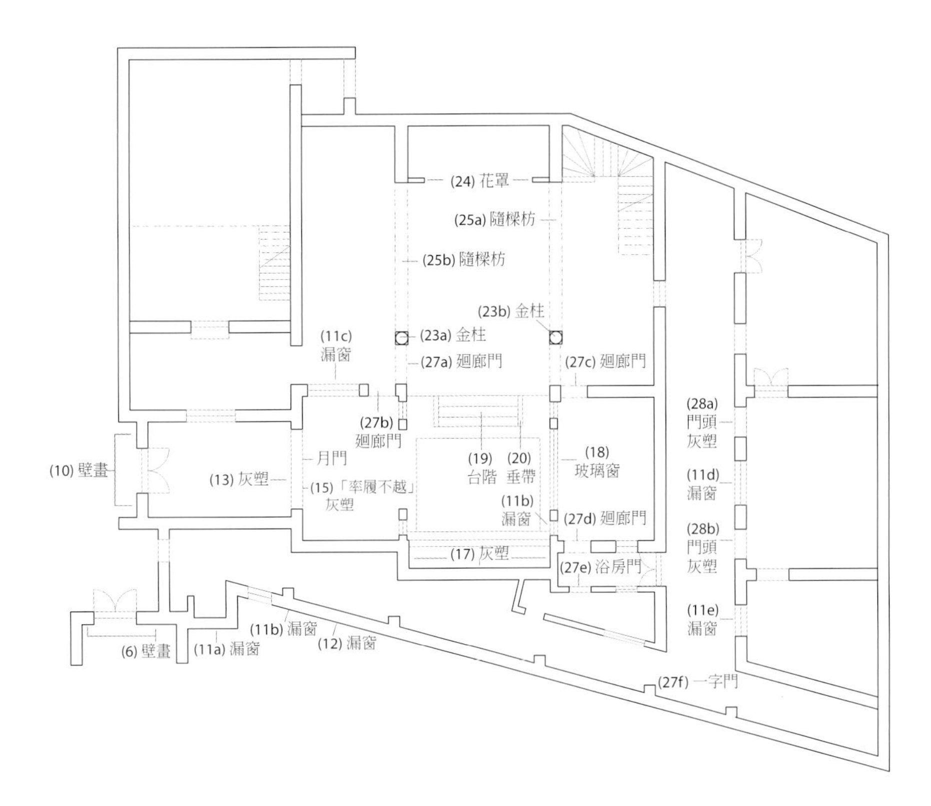

圖5-2B：清暑軒閣樓平面圖

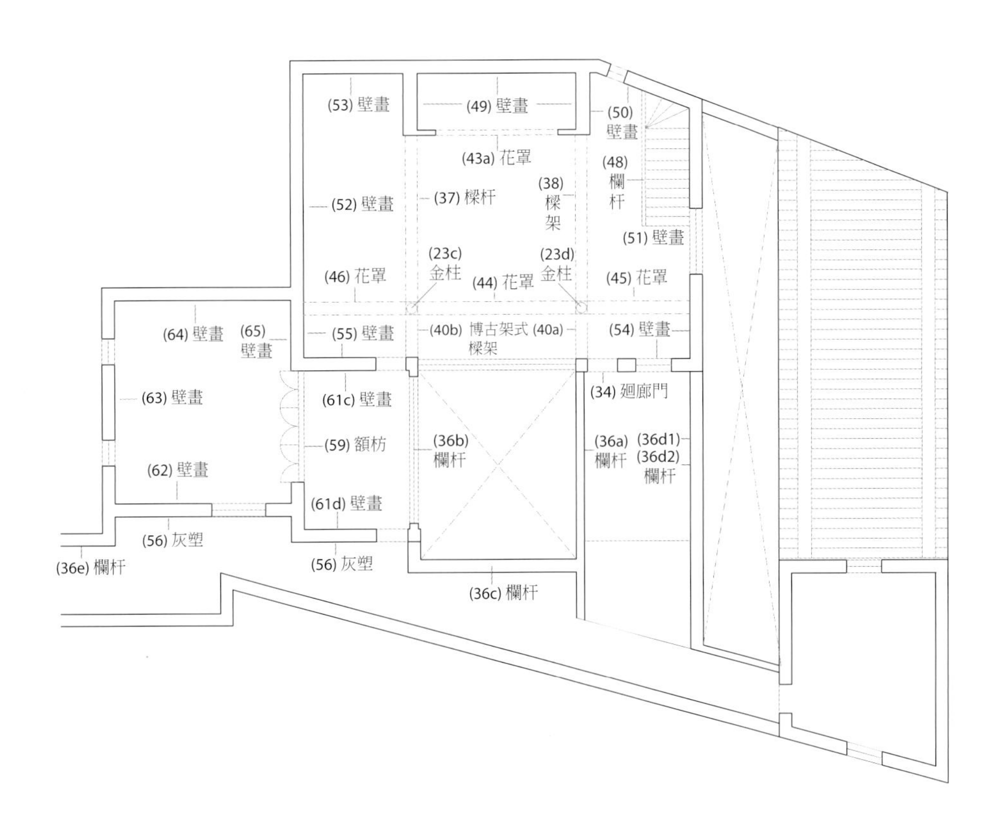

圖5-3A：覲廷書室與清暑軒間迴廊門（西）正立面圖

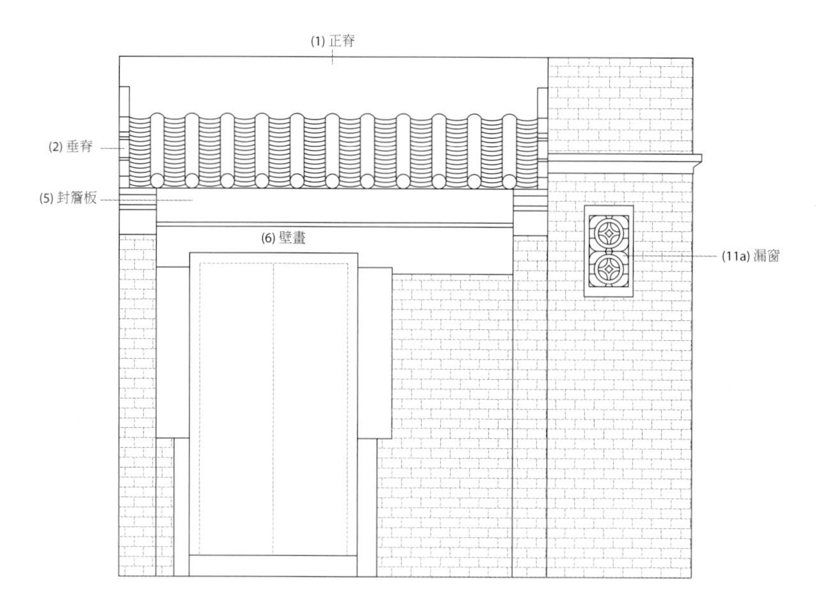

圖5-3B：清暑軒正門（北）正立面圖

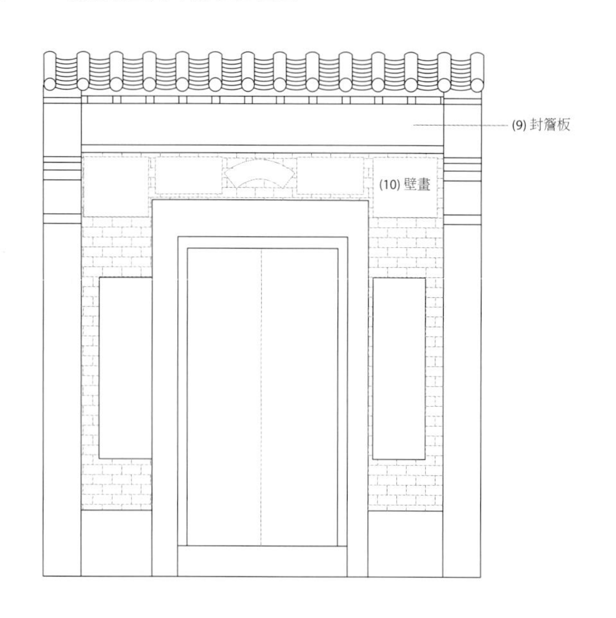

圖5-3C：清暑軒地面及閣樓正廳正立面圖

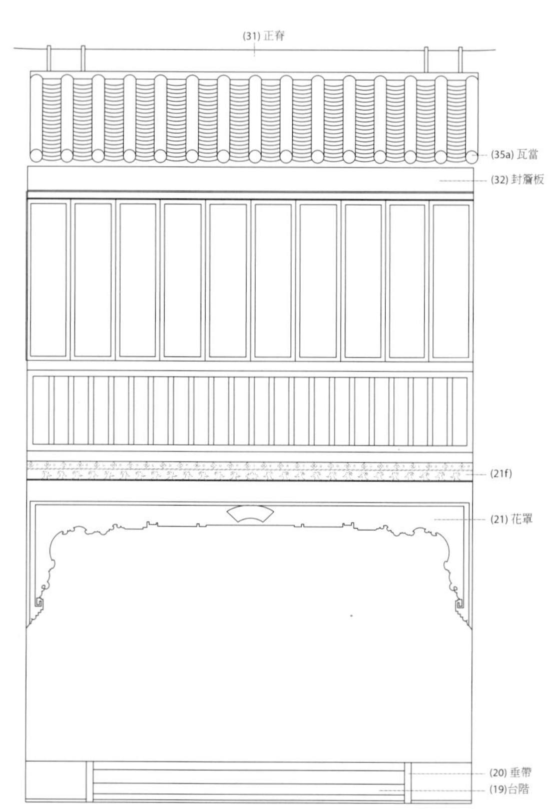

圖5-3D：清暑軒地面門樓及閣樓廂房正立面圖

圖5-3E：清暑軒閣樓正廳右樑架正立面圖

圖5-3F：清暑軒閣樓正廳左樑架正立面圖

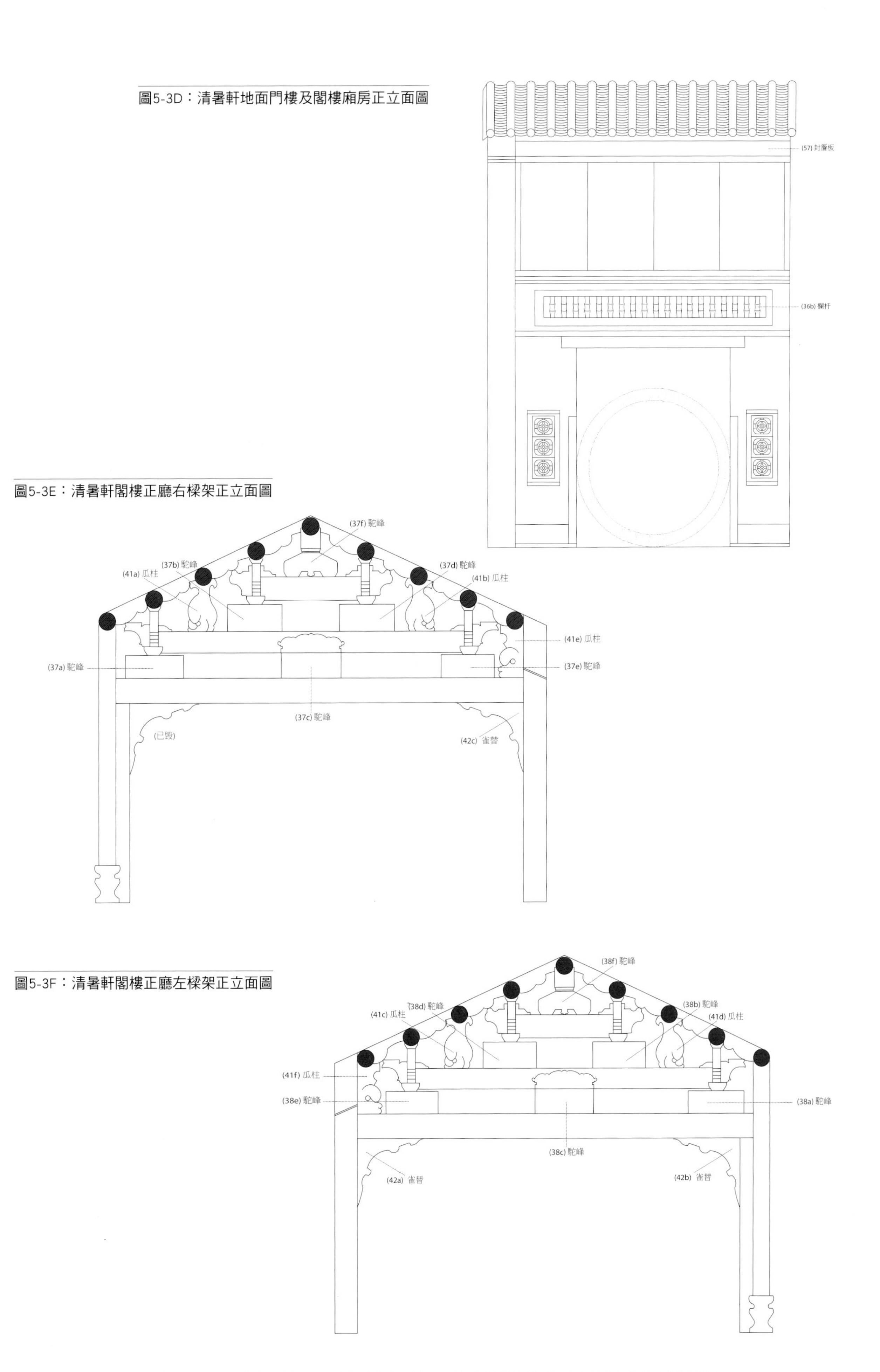

＊圖中有括弧的編號為各構件的位置編碼，這些編號將列於相關文字敘述的前端，以便讀者瞭解其分佈實況。

圖5-4A：覲廷書室與清暑軒間迴廊門前 (西)

1　正脊

上層：兩側：花瓶、如意、書本、博古；中央：寶相花、卷草；

下層：卷軸中央：壽石、樹、麒麟、孔雀、松樹、壽石；卷軸外：草龍(象徵「福祿壽全」)。

圖5-4B：覲廷書室與清暑軒間迴廊門前垂脊及博縫

2　垂脊：博古

3　博縫：卷草/蔓草
(象徵子孫世代綿長)。

圖5-5：覲廷書室與清暑軒間迴廊門前封簷板 (5)

山茶花、官扇、二喜鵲、二蝴蝶、蘭花、菊花、古琴、一玉牌(上掛珠串可能是朝珠)，牌上刻「占」字，一幅卷軸上書「春魁」，三字連在一起為「占春魁」(科舉考試在春天進行，即祝願「狀元及第」)、梅、二蝴蝶、豆及花、二喜鵲、二蝴蝶、如意、花籃、牡丹花 (寓意「五福如意」：福、壽、祿、喜、財)。

圖5-6：覲廷書室與清暑軒間迴廊門前壁畫

(6a) (6b) (6c) (6d)

(不能辨認)(邊飾：纏枝花卉)　菊花(象徵長壽)　(不能辨認)(邊飾：纏枝花卉)

圖5-7：覲廷書室與清暑軒間迴廊門後正脊

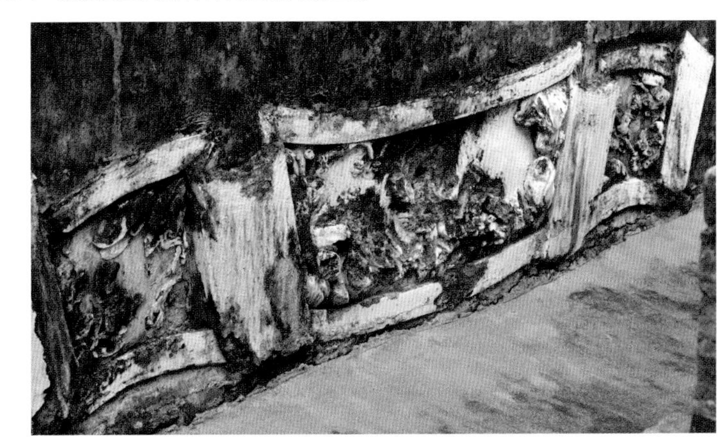

圖5-8：覲廷書室與清暑軒間迴廊門後

圖5-9：覲廷書室與清暑軒間迴廊門後封簷板

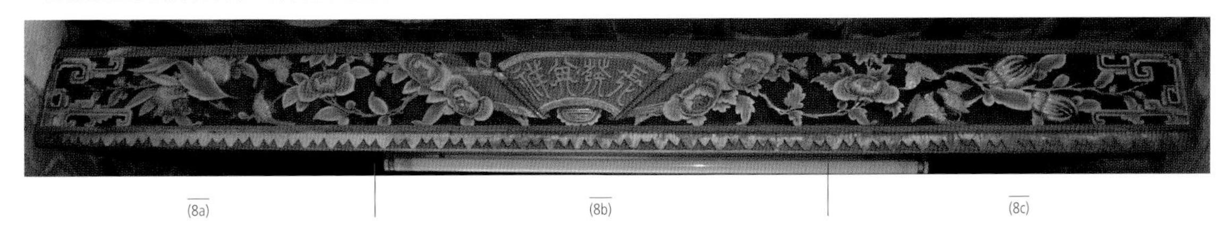

(8a) (8b) (8c)

8a　封簷板

博古、二石榴、喜鵲、蝴蝶(倒轉)、山茶花。

8b　封簷板

山茶花、一幅字「長發其祥」、壽字牌、芙蓉花（「長發其祥」出自《詩經・商頌・長發》，寓意經常有吉祥的事情降臨或事業興旺，「春光長壽」、榮華)。

8c　封簷板

芙蓉花、蝴蝶(倒轉)(象徵福到)、二喜鵲(象徵喜相逢)、佛手柑、博古(整塊封簷板寓意五福：福、壽、祿、喜、財)。

圖5-10：清暑軒地面正門

圖5-11A：清暑軒地面正門封簷板 (9) 及壁畫 (10)

圖5-11B：清暑軒地面正門封簷板

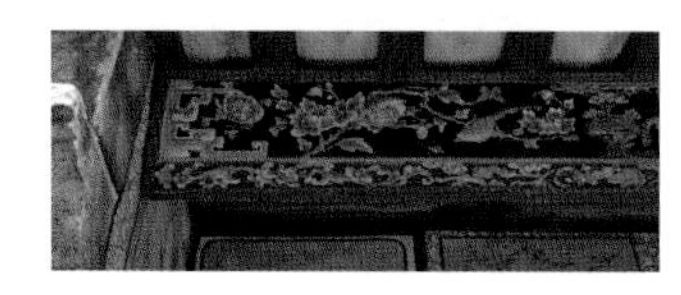

(9a)

(9b)

(9c)

9a　封簷板 (清暑軒地面正門)

(上)博古、牡丹、喜鵲、梧桐樹(象徵「富貴同喜」)；(下層邊飾) 寶相花、卷草、蝠、祥雲 (象徵子孫世代綿長、「福自天來」)。

9b　封簷板 (清暑軒地面正門)

(上)三獅，中央獅含綵帶，兩端各繫雙錢(連錢)、彩雲旭日 (象徵「官帶傳流」)、梧桐樹；(下層邊飾) 壽字牌、蝠、祥雲、如意、蝠、祥雲 (象徵「如意吉祥」、「福壽雙全」)。

9c　封簷板 (清暑軒地面正門)

(上)芙蓉花、綬帶鳥、蝴蝶 (象徵 「長命榮華」)、博古；
(下層邊飾) 壽字牌、花籃、桃、蝠、祥雲、寶相花、卷草 (象徵子孫世代綿長、「福自天來」、「福壽雙全」)。

圖5-12：清暑軒地面正門壁畫

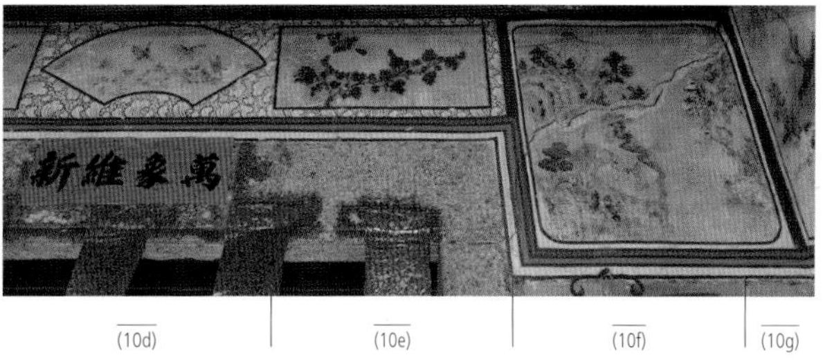

10a 壁畫（右側牆）

牡丹花、喜鵲（象徵富貴、喜）。

10b 壁畫（簷牆）

歸帆(收帆)、茅廬/屋棚、人物、山、樹（象徵「海屋添壽」）。

10c 壁畫（簷牆）

梅花、壽石、草。

10d 壁畫（簷牆）

扇面、四蝴蝶、杏花。

10e 壁畫（簷牆）

菊花。

10b 壁畫（簷牆）

二人物、船、屋(寓意「攜琴訪友」)。

10a 壁畫（右側牆）

喜鵲、花卉。

圖5-13：清暑軒漏窗

11a 漏窗（西外牆）

四蝙蝠，中央金錢形，（象徵「福到眼前」）。

12 漏窗（西外牆）

花瓶形。

圖5-14A：清暑軒地面門廳

清暑軒地面門廳正門後

清暑軒地面門廳及月門

「甲子科 祖孫文武登科」；「甲子科鄉進士」；「揀選衛正堂」；「父子、兄弟聯科」；「祖孫、父子、兄弟、叔姪文武登科」

「甲子科 祖孫文武登科」；「甲子科鄉進士」是指瑞泰與惠育都在甲子年，並且相隔了一個甲子年(即六十年) 考中舉人。祖父瑞泰在1804年考獲武舉，孫兒惠育在1864年考得文舉。

「揀選衛正堂」是「文林郎」惠育所獲授的官銜，除了惠育是文舉人外，其他各人均考獲武舉人之位，任「揀選衛守府 武略騎尉」之職。

「父子、兄弟聯科」指瑞泰(父)和勳猷(子)，與及勳猷(父)和宏英(子)都中科舉。

「兄弟」指遂懷和勳猷二位唐兄弟；或惠育和宏英二位唐兄弟。

「叔姪」指瑞泰與遂懷、飛鴻；或勳猷與惠育；或飛鴻、遂懷與惠育、宏英的親屬關係。從屏山第二十傳至二十二傳，三代人及三房人均人才輩出。

13 灰塑（地面門廳月門上方）

瓜(象徵多子)，上面書有「步月」二字。

曹雪芹在《紅樓夢》中寫道：「一日，早又中秋佳節。士隱家宴已畢，乃又另具一席於書房，卻自己步月至廟中來邀雨村。」所寫的「步月」是指在明媚的月色下踏步，反映隱居者閒靜逸致的心情(何士龍，1989，222-223)。

這二字灰塑置於清暑軒門廳的「月門」之上，踏出月門便可在院子中觀賞月色，詩意盎然。

圖5-14B：清暑軒地面門廳

14　木刻（門廳天花）

牡丹花（象徵富貴）。

清暑軒地面門廳外及迴廊天花灰塑(南門)

16　木刻（門廳外天花）

海棠花或柿蒂紋（透刻）。

15　灰塑（門廳外月門上方）

圖：五枚壽字牌、如意、古琴、磬、棋盤、一幅畫軸、瓜、蝙蝠、葉（象徵多福、多壽、如意、高雅(對藝術的喜好)）；

題字：「率履不越」。

「率履不越」出自《詩經・頌・商頌・長發》原文：

「玄王桓撥，受小國是達，受大國是達。率履不越，遂視既發。相土烈烈，海外有截。帝命不違，至於湯齊。」

釋文：玄王商契威武剛毅，接受小國認真治理，成為大國政令通利。遵循禮法沒有失誤，巡視民情處置適宜。先祖相土武功烈烈，四海之外順服齊一。

履是「禮」的假借。率履，即遵循禮法。「率履不越」四字塑在月門的門楣上，讓人離開此建築前便可看到，用以訓勉族人在外要遵守規矩禮法。

圖5-15：清暑軒地面正廳前天井

圖5-16A：清暑軒地面天井灰塑（西牆內）

17a　漏窗兩側對聯（背景)梅花 「紅日當窗花絢錦，和風繞檻桂生香」

釋文：讚美自然美景風和日麗，桂花飄香。五代的竇禹鈞把五子稱為「五桂」(野崎誠近，2000，390)，桂花象徵子孫。

圖5-16B：清署軒地面天井灰塑（西牆內）

17b 灰塑（地面天井西牆內）

（漏窗上）蓮花、蓮葉、牡丹花、花瓶，上書「綠」；蝙蝠，上書「蔭」（象徵福蔭）（綠諧音祿，這裏也指福祿）。

釋文：綠蔭，借喻有先人庇蔭。

圖5-17：清署軒地面正廳前天井灰塑

17c 灰塑導水管（天井西牆內）

金魚（象徵「年年有餘」）。

17d 灰塑（地下天井西牆兩側牆）

麒麟、山、樹、「旭日初昇」（象徵升官、有子）。

圖5-18：清署軒地面正廳前天井洞窗（玻璃窗）及漏窗（南牆內）

18 八角形洞窗（框內鑲長方形及三角形玻璃）

框飾：卷草、瓜、石榴、如意、海棠、桃、同心結（象徵「福壽雙全」）。

11b 漏窗

中央金錢，四角蝙蝠（象徵「福到眼前」）。

圖5-19：清暑軒地面正廳前台階及垂帶

19　台階：五級(不平均高度)；

20　垂帶：祥雲、鼓形/日、月。

圖5-20A：清暑軒地面正廳前花罩(21)及上層木條裝飾 (21f)

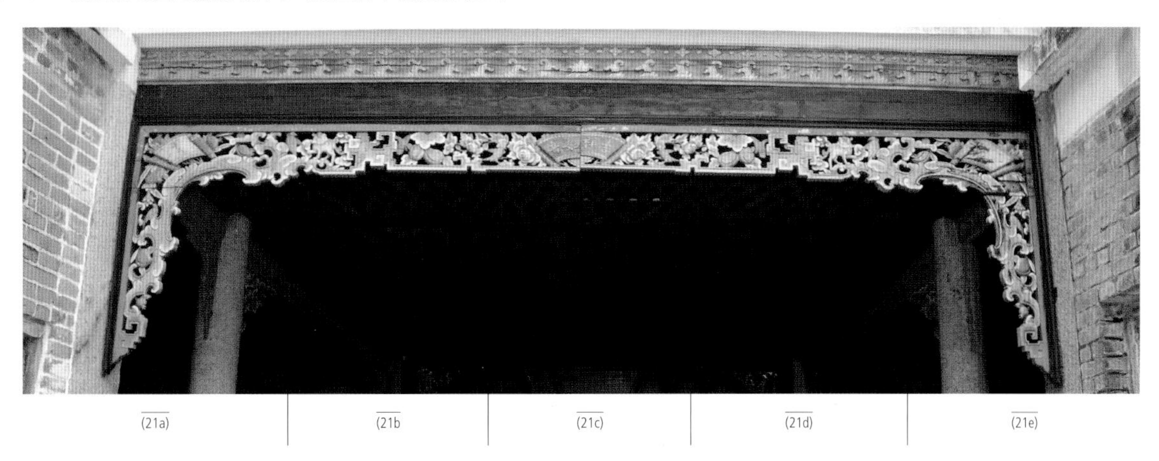

21f　花罩上層木條裝飾：波浪紋(象徵「潮水江牙」，寓意上朝，即官祿)。

圖5-20B：清暑軒地面正廳前花罩(西)

21a　花罩 (地面正廳前)

石榴、喜鵲、一幅畫(樹)、桃(象徵福、壽、喜)。

21e　花罩 (地面正廳前)

石榴、喜鵲、一幅畫(亭子、樹)、桃(象徵福、壽、喜)。

21b　花罩 (地面正廳前)

鷹、熊、祥雲 (寓意「英雄會」)、博古(象徵壽)、瓜(象徵福)。

21c　花罩 (地面正廳前中央)

一幅卷軸，上書 「如意吉祥」、牡丹花、壽字牌(象徵福壽、富貴、「如意吉祥」)。

圖5-20C：清暑軒地面正廳前花罩(東)

22a

卷草、桃、喜鵲、一幅畫、石榴、鷹、熊(寓意「英雄會」)、祥雲、博古(象徵福祿壽)。

22b

瓜、牡丹、喜鵲、壽字牌、一幅卷軸，上書「書琴樂」(象徵福、壽、富貴、喜樂、享受典雅的生活)。

22a

一幅畫(竹)。

22c

一幅畫(蘭花)。

圖5-21：清暑軒柱礎 (23)

23b 金柱柱礎 (地面正廳左)

圓柱、圓瓶形；下圓柱、方形底座。

23d 金柱柱礎 (閣樓正廳左)

圓柱、圓瓶形、下八角、方形底座。

圖5-22：清暑軒地面正廳落地罩(玻璃)

24a 落地罩(地面正廳右角框內透刻)

牡丹花、一幅畫、蝴蝶、壽字牌、方勝(象徵福、壽、富貴)。

24c 清暑軒地面正廳落地罩(玻璃)

鎖鏈紋、卷草、海棠/柿蒂 (象徵子孫世代連綿)。

圖5-23：清暑軒地面北偏廳隨樑枋(25b) 雀替(26b)

25b 隨樑枋

(上層)柿蒂紋；(下層)「潮水江牙(崖)」(象徵「江山社稷」，即官祿，身份高貴)。

26b 雀替

牡丹花、蝴蝶、蝙蝠(象徵福、壽、富貴)。

25c 穿插枋

(上層)柿蒂紋；(下層)「潮水江牙(崖)」(象徵「江山社稷」，即官祿)。

26d 雀替

鳥、蝴蝶、石榴、玉蘭花(象徵福、壽、喜)。

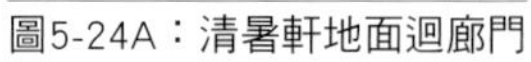

圖5-24A：清暑軒地面迴廊門

27a 迴廊門 (正廳右廂房前)

最外層邊飾：花、桃、花、桃、花；

第二層邊飾：魚鱗錦；

第三層邊飾：卷草、海棠；

中央：圖：古陶瓶(象徵平安)、花瓶內插二靈芝、一幅卷軸、一綬帶、二蝙蝠、二獅子、壽字牌、金錢、如意、山茶花(象徵「福祿壽全」)；

題字：「居仁」。

圖5-24B：清暑軒地面迴廊門

27b 門廳前迴廊東門(向正廳)門頭

灰塑：花、二瓜、花、二瓜、花、末端：蝙蝠(象徵福/子孫)。

27b 門廳前迴廊東門(向迴廊內)門頭

卷草、瓜、花、瓜、卷草 (象徵福/子孫)。

27d 左迴廊門(東門向正廳)

灰塑：五瓜、二花，末端蝙蝠(象徵福/子孫)。

27d 左迴廊門(東門向迴廊)

卷草、花、果、花、卷草、末端蝙蝠(象徵福/子孫)。

27e 左迴廊後浴房門

芭蕉扇形。

27f 一字門門頭

卷草末端。

圖5-25：清暑軒地面廚房外迴廊

28b 門頭 (廚房西端)

最上層邊飾：寶相花；次二層邊飾：葉形；中央：半圓形壽字及放射線圖案

半圓形及放射線圖案的款式類似英國喬治時期的扇形門頭窗飾(Georgian Fanlights)，該款設計流行於 1720至1840年間。英國的扇形門頭窗框用鐵鑄成，框內鑲嵌玻璃，能透光，用以裝飾向外大門的門面和讓門廊採光)(Cranfield，1997/2004，86-88)。這裏全用灰塑製成，不能透光，而且位置在於僕人工作範圍的廚房門前，即客人不會到訪的後巷中。反映主人崇洋的心態，但卻不欲展現於外人眼前。

圖5-26：清暑軒漏窗

11c 漏窗(地面門廳前迴廊)

「如意海棠」/「事事如意」。

11d 漏窗(地面廚房外)

井字形排列的如意(綠色)。

11e 漏窗(地面廚房外)

外形八角，以磚砌成的十字漏窗。

圖5-27：清暑軒閣樓正廳及左偏廳

圖5-28：清暑軒閣樓正廳左山牆、欄杆及漏窗

29　閣樓正廳左山牆

博古龍(垂脊)、卷草 (博縫)。

30　欄杆

竹筒(瓦)、海棠/柿蒂(灰塑)、錢、蝠(象徵「福到眼前」)(瓦)、花瓶(瓦)。

11f　漏窗

如意海棠/如意柿蒂(象徵「事事如意」)。

圖5-29A：清暑軒閣樓正廳上正脊

31a　正脊(閣樓正廳上)

博古、瓜、鳥、獅(寓意「英雄會」)(象徵福祿壽)。

31b　正脊 (閣樓正廳上)

多個南瓜、蝴蝶 (寓意「天長地久」；多子、福)。

31c　正脊 (閣樓正廳上)

梧桐樹、五隻駿馬。馬的姿態各異，一隻馬仰卧打滾、一慢行踱步、一低頭悠閒吃草、一回首觀望、一昂首嘶鳴，活潑生動(寓意「龍馬精神」、「馬到功成」)。

古典小說中，很多著名的英雄人物故事，都與駿馬有關，如《三國演義》第三十四回中，劉備的坐騎「的盧馬」，在危急關頭躍過數丈闊的檀溪，使劉備脫險，避過蔡瑁的追兵。關雲長與「赤兔馬」出生入死；關雲長戰死後，赤兔馬被吳將馬忠所獲，數日不食而死(《三國演義》第七十七回)，可見其忠心耿耿。戲曲中有《紅鬃烈馬》劇目，劇中描述唐朝薛平貴因在紅砂洞中降伏紅鬃烈火馬，有功入朝，開始西征的生涯。建築裝飾中，大多把薛平貴塑成一腳踏在仰卧打滾的烈馬身上的造像，另外，也有狄青降伏龍駒馬，後來成為宋朝大將的故事，都是採用這個造像。可見駿馬與良將有相輔相成之效。

圖5-29B：清暑軒閣樓正廳上正脊

31d 正脊（閣樓正廳上）

瓜、蓮花、二鴨、蘆葦（寓意「二甲傳臚」、「喜得連科」）。

圖5-30：清暑軒閣樓正廳封簷板

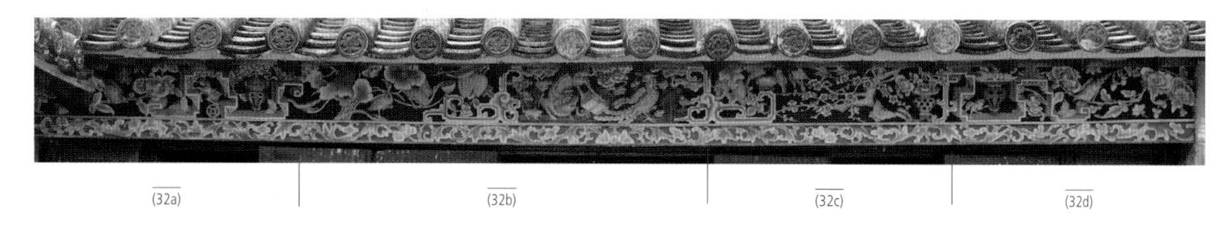

32a 封簷板（閣樓正廳）

蝴蝶、綬帶鳥、二蝴蝶、山茶花、博古、松鼠、錢、二蝙蝠(象徵「福到眼前」)、香爐(象徵「繼後香燈」)、上升祥雲(象徵「青雲直上」)、蝴蝶(象徵「春光長壽」、多福多子)。

32b 封簷板（閣樓正廳）

蓮花、蓮蓬、二鷺鷥(象徵「路路連科」、「連生貴子」)、瓜、博古、二兔、麒麟、書、鳳凰、博古(寓意「麟吐玉書」、「旭日初升」、「鳳凰來儀」、「麟子鳳雛」)。

32c 封簷板（閣樓正廳）

博古、玉米(象徵多子)、二喜鵲、梅花(象徵「喜上眉梢」)、蝴蝶(福)、花籃、山茶花(象徵「春光長壽」)。

32d 封簷板（閣樓正廳）

博古(象徵源遠流長)、松鼠(象徵子)、佛手柑(象徵福)、蝙蝠(象徵福)、祥雲(象徵吉祥)、二蝴蝶(象徵福/壽)、綬帶鳥(象徵壽)、牡丹花(象徵富貴)。

圖5-31：清暑軒閣樓正廳窗花

33 窗花

頂板：蘭花；格心：十字龜背紋，中央粉紅色花卉，鑲玻璃；裙板：竹。

(1989年圖片顯示已全毀，這些窗櫺應是覆修時仿製)。

圖5-32：清暑軒閣樓左偏廳外迴廊門

34

圖5-33：清暑軒閣樓瓦當

35a 瓦當 (閣樓)

藍色牡丹花 (寓意富貴)。

35b 瓦當 (地面廚房)

題字：「金玉滿堂」、回紋邊飾，瓦當沒有釉，沒有滴水。

圖5-34A：清暑軒閣樓欄杆

36b 欄杆 (閣樓右廂房前)

竹筒。

36c 欄杆 (閣樓露天西迴廊內)

花瓶(象徵平安)。

圖5-34B：清暑軒閣樓欄杆

36d1 欄杆（閣樓左偏廳外左端）

中央如意、海棠、柿蒂（象徵「事事如意」）。

36d2 欄杆（閣樓左偏廳外左端）

中央八角形框內鑲萬字紋、四角如意(象徵「萬事如意」)。

36e 欄杆（清暑軒與覲廷書室間迴廊上廊道內）

中央菊花、四角如意（象徵如意、長壽）。

圖5-35：清暑軒閣樓正廳樑架

37 （閣樓正廳右樑架）

38 （閣樓正廳左樑架）

圖5-36：清暑軒閣樓正廳樑架背面駝峰

39b 駝峰(閣樓正廳右樑架背面)

如意祥雲

圖5-37A：清暑軒閣樓正廳駝峰

37a 駝峰（閣樓正廳右樑架下層西端）

獸有長鼻，卷曲長牙，大耳，長尾，脊骨明顯，除了腳形外都具有「象」的特徵。人物穿對襟衫，領有蝴蝶結，頭戴高帽，似洋人模樣。

整體造型結構與廣州陳氏書院一塊石刻相同。象徵「太平有象」之意。

「史書記載，南方諸國遣使進獻大象，蓋因國勢隆盛、聲威遠播，外邦才紛來朝貢，故有「太平有象」之稱，因此代表國家長治久安，物阜民豐。」(康鍩錫，2007，64)。

38a 駝峰（閣樓正廳左樑架下層西端）

獅子，在山崗上向下行，側有一龍柱，上飾祥雲。人物頭戴月牙箍，穿紅色兜肚，正在吹著法螺。

獅子從西域傳入，與虎一樣，都是百獸之王，因此，象徵權勢。獅子在佛教文化中佔一定地位。佛教把佛祖講經比喻為獅子吼。《維摩經・佛國品》云：演法無畏，猶獅子吼。」(轉引自喬繼堂，1993，45)在佛教的菩薩中，文殊菩薩和普賢菩薩的坐騎分別是獅子和象。圖中人物造像應與佛教相關。

善財童子

善財童子原是在孟加拉灣沿岸的福城的富家子弟，富翁老來得子，根據《華嚴經・入法界品》孩子生下時，家中有種種珍寶湧出，故名「善財」。文殊菩薩到福城弘揚佛法，善財在那裏接受文殊指點，皈依佛教，並開始雲遊，向五十三位大德參訪善知識，最後在普賢菩薩的教化下，得成正果。

民間把善財童子衍化出各類神話故事。《西遊記》第四十二回〈大聖殷勤拜南海，觀音慈善縛紅孩〉中描述牛魔王和羅剎女的兒子紅孩兒，在唐僧往西天取經時施行妖術，被觀音菩薩以金剛箍收伏，善財便成為觀音的脇侍，與龍女配成一對，稱「金童玉女」。由於「善財」之名，民間把他當作財神(羅顥，2003，30-32)。月牙箍是帶髮出家的頭陀一類人物的束髮物，兜肚是童子的服飾。這些特徵都與上述故事脗合。

法螺

傳說佛祖在成佛前，潛心修行期間，惡魔向他進攻，帝釋天吹響法螺，趕退了惡魔。後來釋迦牟尼佛在初轉法輪時，帝釋天把一個白色海螺獻給佛祖，自此白色海螺成為吉祥圓滿的象徵。在佛教中，法螺代表佛法的傳播，也象徵消魔除障的功能(王建偉、孫麗，2004，70)。此圖中佛家童子吹法螺，相信與善財童子有關。善財童子的五十三參法要偈之四云：「自在城中參彌伽，學分別字音總持，妙音光明陀羅尼，後而證得妙音住。」

圖5-37B：清署軒閣樓正廳駝峰

37b 駝峰(閣樓正廳右樑架上層西端)

老翁提筆，在石上書有「三台奇山」四字，有童僕侍奉在側。

「三台奇山」可能是指古代神話傳說中提及在渤海中的三座仙山，即「蓬萊、方丈、瀛洲」，它們都是仙人的住所(《史記》)，是古代帝王訪仙尋藥祈求長生不老的地方。

另一可能是敍述道教徐神翁的故事。徐神翁擅於運用文字預測未來，他曾給王和甫寫了三個山字，不久王和甫當上了嵩山崇福宮提舉，「嵩山崇福宮」五字中有三個山字，對應了他的預言(朱宋卿《徐神翁語錄》，引自趙杏根，2002，202-204)。這裏象徵神力庇佑，或寓意昇官。

38b 駝峰(閣樓正廳左樑架上層西端)

夫婦二人在圖的兩端落力作花鼓表演，一位不羈的公子，正扭動扇子調戲少婦

「花鼓鬧廟」/「打花鼓」故事見「紅梅記」後部。

某公子出遊，見來自鳳陽的夫婦二人，在街頭唱演花鼓，乃命其奏技，又調戲少婦，醜態百出。這是一齣詼諧的「打扯戲」(劉爭義(編)a，1915/1990，452；吳同賓、周亞勛，2007，410)，即今人的「喜劇」，相信在古時為娛樂性豐富的一個劇目。

圖5-37C：清暑軒閣樓正廳駝峰

37c 駝峰（閣樓正廳右樑架下層中央）

一文官(官紗翅上有雙錢，穿紅色蟒服)，右手抱一曲形物，左手端前；一武官(有鬍子，戴霸盔，穿靠甲)，右手端前，左手高舉(似揮舞拳頭)；中央端坐案後者應為皇帝；皇帝與武將間的人物穿褶子(海青)，戴橋樑巾，手持拂塵，象徵懂得道術的人或軍師；三侍衛。

《將相和》戰國時秦王派人送信予趙惠王，提出願以十五座城鎮來換取趙的國寶和氏璧。藺相如奉命出使然秦國，並運用機智勇敢，挫敗秦王，而且把完好的寶璧帶回趙國。趙王因此爵以上卿，封為相國(典出《史記・廉頗藺相如列傳》，戲曲劇目為《完璧歸趙》。

廉頗自恃功高，不服。多次侮辱相如，相如均避讓。後得李賢進勸，廉頗得知相如是為了將相和睦，不予秦國有機關可乘，乃背負荊條至相府請罪，從此將士相和好，戲曲劇目為「廉頗負荊」。「將相和」一劇由「完璧歸趙」「澠池會」和「廉頗負荊」改編而成(吳同賓、周亞勛，2007，360)。

38c 駝峰（閣樓正廳左樑架上層西端）

女將持二槌、中央一隻熊、持二鐧長鬚將領(戴侯帽，穿靠)、女將背後有持劍女武衛、男將領後有一文官、中央二人戴福儒巾、一穿橋樑巾(軍師巾)的軍師或懂道術的人物。

佛山祖廟有一木刻為「趙美容伏飛熊」，內容與此圖類似，唯未能在其他典籍中找到相關資料，故不能作出鑑定，題材暫不可考(典籍《宋太祖三下南唐》中趙美容使用雙槍，與此圖像的兵器不符)。

另一可能是「妖仙大戰樊梨花」，即樊梨花助唐軍征西的故事。樊梨花在玉龍關與西遼軍對壘。西遼國舅蘇寶同邀得野熊仙、金鯉仙、神龜仙……等眾妖仙襄助，其後又得到李道符仙師助陣，唐軍不能抵禦，只有靠樊梨花的師父黎山老母結合諸仙的力量才可以得勝。(《說唐全傳》第六十四至六十六回)。

圖中央有雙尾的應是「野熊仙」(古時工匠習慣以雙尾的動物作熊的形象)，持雙錘的可能是樊梨花或其他與西遼軍對陣的女將如陳金定(典籍中描述陳金定用的兵器是錘，樊梨花用雙刀)。另一端的將領是蘇寶同(蘇寶同用雙刀，與此像不符，李道符用雙劍，與此角色脗合，但李道符穿的是道袍，與此穿龍蟒靠甲，戴侯帽者服飾不符)，將領背後的道長可能是李道符仙師。

圖5-37D：清暑軒閣樓正廳駝峰

37d 駝峰(閣樓正廳右樑架上層東端)

一持扇女子、一文人(正拱手行禮)、一有鬚人物(戴風帽，穿紅衣，背劍)揮手道別、一侍從(提一足，欲行)。「風塵三俠」/「紅拂傳」

羅癭公據《隋唐演義》及唐杜光庭《虬髯客傳》、元人「風塵三俠」雜劇、明張鳳翼《紅拂記》傳奇編劇。

隋煬帝時期，越公楊素喜李靖之才，邀李靖到府中商談。楊素府中持紅拂的歌伎張氏傾慕李靖，夜奔李靖居所，相偕逃去。途中遇虬髯公張仲堅，三人成為莫逆之交。後虬髯公將家資贈予李靖夫婦，囑助李世民，然後離國他往(吳同賓、周亞勛，2007，377)。這是香港古建築常見的人物裝飾題材，寓友情可貴。

38d 駝峰(閣樓正廳左樑架上層東端)

旗幟上書有「擂台」和「令」字，台上的人背著雙鐧，一人趟在台下。

台上的人物應為秦叔寶，被打下擂台的應為史大奈。秦叔寶在做解差途中，被誣告是響馬和殺害了吳廣，被刺配到河北燕山作為羅元帥麾下當兵。途中秦叔寶得到單雄信的幫助，修書給張公瑾(帥府的旗牌)囑咐代為照料。秦叔寶帶着單雄信的書信，在順義村土地廟前見史大奈擺下擂台，兩解差上台比試，皆敗，秦叔寶跳上台與史交手，秦大勝。張公瑾喝止。秦叔寶得知是張公瑾，便把書信遞與他(《說唐全傳》第七回，頁35-40)。打擂一事凸顯秦叔寶的勇猛，也標誌了他廣交朋友的能力和得到各方友好的輔助。

圖5-37E：清暑軒閣樓正廳駝峰

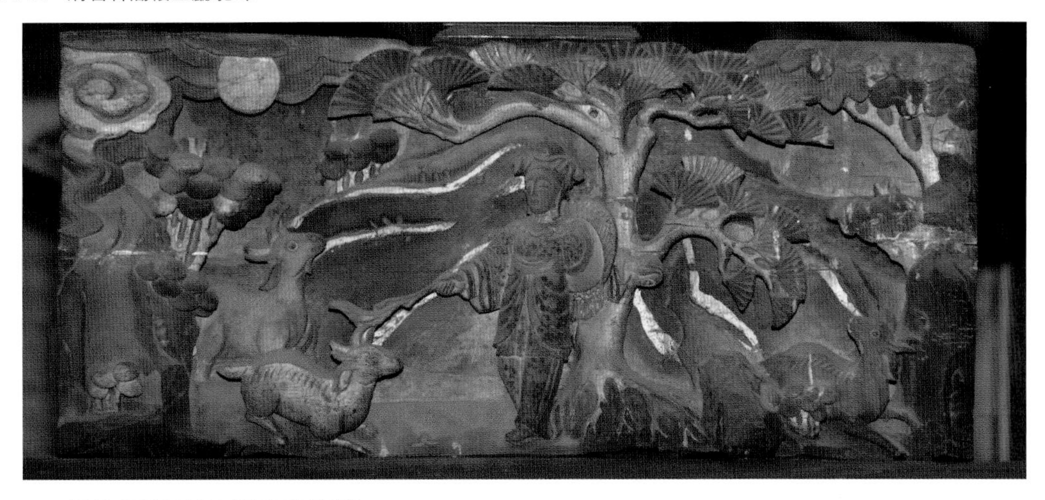

37e 駝峰（閣樓正廳右樑架下層東端）

牧羊女(三羊)(象徵「三羊啟泰」、有神仙庇祐)。

出自劇目「龍女牧羊」/「柳毅傳書」(唐李朝威「柳毅傳」、元尚仲賢「柳毅傳書」雜劇、清李漁「蜃中樓」傳奇)。

洞庭龍王之女三娘嫁涇河龍王太子。太子殘暴，命三娘在河濱牧羊。柳毅落第歸家途中，遇見三娘，代三娘向洞庭龍王傳書。龍王錢塘君發兵，殺死涇河太子，救回三娘，後柳毅與龍女成婚(吳同賓、周亞勛，2007，385)。

38e 駝峰（閣樓正廳左樑架下層東端）

一仙女(手執一柄子，似與背後的拂塵相連)（象徵神仙)、鹿(背有一瓶子)、地上有二棵靈芝草、樹上有蝙蝠。

寓意「麻姑獻壽」，與「龍女牧羊」為一對。

麻姑在修煉時用山泉釀造靈芝酒，並帶到西王母的壽宴中，作為賀禮(完顏紹元、郭永生，1997，72)。圖中鹿兒背著的瓶子應是盛著靈芝酒(寓意長壽)。

圖5-38：清暑軒閣樓正廳前迴廊博古架式樑架

40a 博古架式樑架（閣樓迴廊左端向正廳）

桃、佛手柑、瓜（象徵「福壽雙全」）。

圖5-39：清暑軒閣樓正廳樑架上的瓜柱

41b 瓜柱（右樑架中層東端）

鰲魚形瓜柱

圖5-40：清暑軒閣樓正廳樑架雀替

42a 雀替（左樑架東端）

牡丹花、蝴蝶、蝙蝠（象徵「福壽富貴」）。

42c 雀替（右樑架東端）

圖5-41A：清暑軒閣樓正廳花罩

43a 花罩（閣樓正廳中央）

寶相花（象徵子孫世代綿長）。

(上)博古、瓜、桃(象徵多福多壽)。

(中)博古、桃、瓜、葡萄(象徵「多福多壽」)。

(下)石榴、蓮花、蓮蓬(象徵「連生貴子」)。

圖5-41B：清暑軒閣樓正廳花罩

43b 清暑軒閣樓正廳中央花罩左側

格心/隔心：四蝙蝠(籃子的四周)、花籃(上有寶相花、籃身飾柿蒂紋)、籃子下有祥雲，上下如意拐子紋、柿蒂紋。

圖5-42A：清暑軒閣樓迴廊中央花罩

44 花罩 (閣樓迴廊中央向正廳)

44a 花罩 (閣樓迴廊中央向正廳)

一幅畫(繪竹)(象徵君子/祝福)、石榴、瓜(象徵多子)、喜鵲(象徵喜)。

圖5-42B：清暑軒閣樓迴廊中央花罩

44b 花罩（閣樓迴廊中央向正廳）

鷹、熊(寓意「英雄會」)；
瓜、博古(象徵福壽)。

44c 花罩（閣樓迴廊中央向正廳）

瓜、喜鵲、牡丹花、一幅卷軸(上書「書琴樂」)、壽字牌、喜鵲、牡丹花(寓意福、壽財、喜，也愛好文人雅士的讀書和音律的高尚活動)。

44d 花罩（閣樓迴廊中央向正廳）

鷹、熊(寓意「英雄會」)；
瓜、博古(象徵福壽)。

44e 花罩（閣樓迴廊中央向正廳）

一幅畫(內繪蘭花)(象徵君子/子孫)、石榴、瓜(象徵多子)、喜鵲(象徵喜)。

44g 花罩（閣樓迴廊中央向正廳）

桃、牡丹花、花瓶、蝙蝠、瓜(象徵福、壽、富貴、平安)。

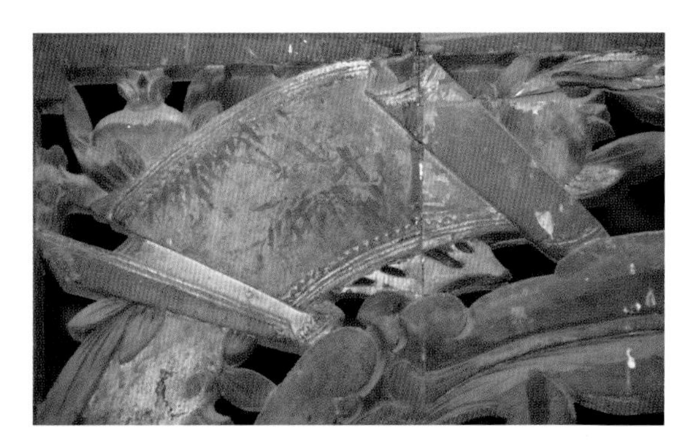

44a

44e

圖5-42C：清暑軒閣樓迴廊中央花罩

44h 花罩(閣樓迴廊中央花罩向迴廊)

44i 花罩(閣樓迴廊中央花罩向迴廊)

一幅卷軸(繪山、樹、二帆船)、石榴、瓜(象徵多子)、喜鵲(象徵喜)、鷹、熊(寓意「英雄會」)；瓜、博古(象徵福壽)。

鳥、熊(寓意「英雄會」)。

瓜、喜鵲。

44k 花罩(閣樓迴廊中央花罩向迴廊)

牡丹花、一幅卷軸(上書「吉祥如意」)、壽字牌、牡丹花、喜鵲(象徵福、壽、富貴、吉祥如意)。

圖5-42D：清暑軒閣樓欄杆

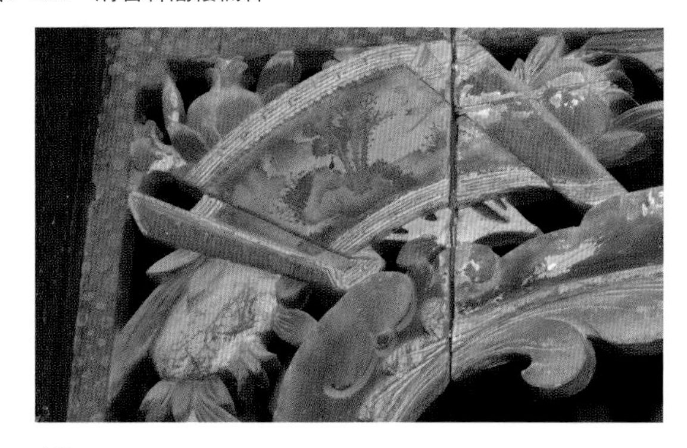

44i
一幅卷軸，繪山、樹、二帆船。

44m
一幅卷軸，繪攜琴人物、亭子(象徵「攜琴訪友」)。

44o

44o 上
喜鵲、桃(象徵喜、壽)。

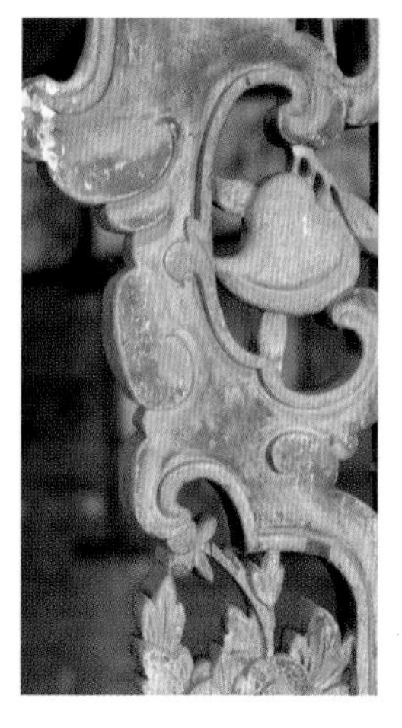

44o 中
桃 (象徵壽)。

44o 下
花瓶、牡丹花
(象徵「富貴平安」)。

圖5-43A：清暑軒閣樓左偏廳花罩

45a 花罩(閣樓左偏廳向偏廳)

45h 花罩(閣樓左偏廳向迴廊)

倒飛蝙蝠銜花籃，兩側有二蝴蝶、二綬帶鳥、玉蘭花(象徵「福壽雙全」)。

45d 花罩(閣樓左偏廳向偏廳)

圖5-43B：清暑軒閣樓左偏廳花罩

45f 花罩(閣樓左偏廳向偏廳)

圖5-44：清暑軒閣樓右偏廳花罩向偏廳

46a 花罩 (閣樓右偏廳向偏廳)

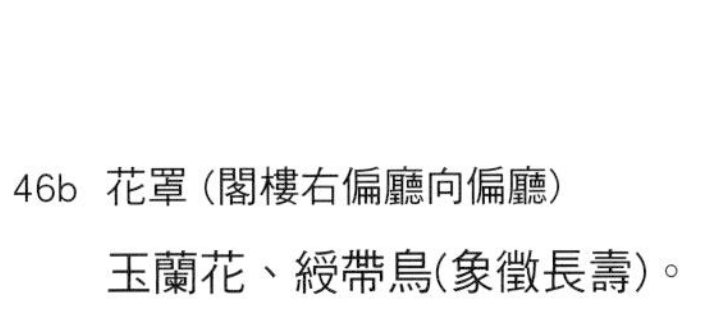

46b 花罩 (閣樓右偏廳向偏廳)

玉蘭花、綬帶鳥(象徵長壽)。

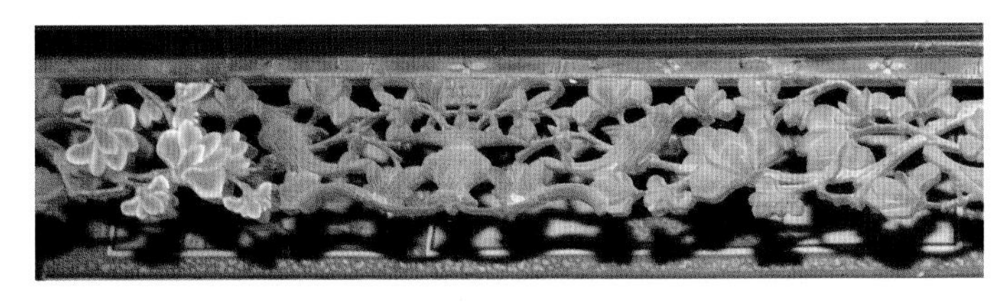

46c 花罩 (閣樓右偏廳向偏廳)

玉蘭花、綬帶鳥、蝙蝠銜花籃(象徵「福到平安」)、二蝴蝶、綬帶鳥、玉蘭花(象徵「福壽雙全」)。

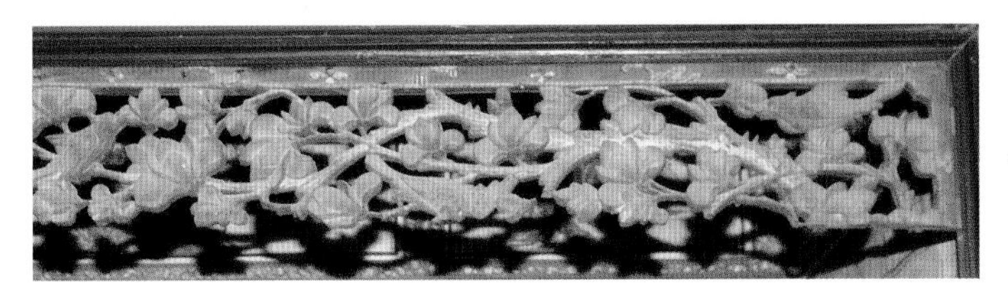

46d 花罩 (閣樓右偏廳向偏廳)

玉蘭花、綬帶鳥、玉蘭花、綬帶鳥(象徵長壽)。

圖5-45：清暑軒閣樓右偏廳花罩向偏廳

47 花罩 (閣樓迴廊右花罩向中央)

瓜、桃(象徵「福壽雙全」)、瑞獸、卷草。

圖5-46：清暑軒閣樓欄杆

(48a) (48b) (48c) (48d)

48a

玉米(象徵多子)。

48b

桃(象徵長壽)。

48c

瓜(象徵多子)。

48d

瓜/果(象徵多子)。

圖5-47：清暑軒閣樓正廳壁畫

49a 壁畫(閣樓正廳右隔斷牆/隔間牆)

高山流水、持杖人物(象徵長壽)。

49b 壁畫(閣樓正廳簷牆)

海棠(黃色)、四蝴蝶（象徵福/壽滿堂)。

49c 壁畫(閣樓正廳簷牆)

松樹（象徵長壽)。

49d 壁畫(閣樓正廳簷牆)

鳳凰（象徵「鳳凰來儀」、「天下太平」)。

49e 壁畫（閣樓正廳左隔斷牆/隔間牆)

山景（象徵長壽)。

圖5-48：清暑軒閣樓左偏廳東牆壁畫

50a 壁畫(左偏廳南隔斷牆/隔間牆)

杏花(狀元花)、二紅色花卉/果實。

50b 壁畫 (左偏廳東簷牆)

山茶花(象徵「春光長壽」)。

50d 壁畫 (左偏廳東簷牆)

牡丹花 (象徵富貴)。

50c 壁畫 (左偏廳東簷牆)

高山、持杖人物(象徵長壽)。

圖5-49A：清暑軒閣樓左偏廳南山牆壁畫

圖5-49B：清暑軒閣樓左偏廳南山牆壁畫

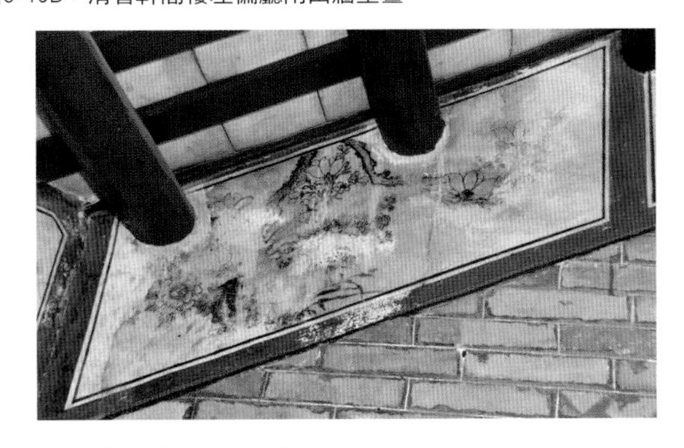

51a 壁畫 (左偏廳南山牆)

玉蘭花、牡丹花(象徵「長命富貴」)。

51b 壁畫 (左偏廳南山牆)

石榴、一幅卷軸、花瓶、牡丹花、蓮花(象徵福、「連生貴子」、富貴)。

51c 壁畫 (左偏廳南山牆)

山、樹 (山景或象徵長壽)。

51d 壁畫 (左偏廳南山牆)

佛手柑 (象徵福)。

圖5-50A：清暑軒閣樓右偏廳北山牆壁畫

52a 壁畫 (右偏廳北山牆)

菊花、壽石 (象徵長壽)。

52b 壁畫 (右偏廳北山牆)

山、樹 (山景或象徵長壽)。

圖5-50B：清暑軒閣樓右偏廳北山牆壁畫

52c 壁畫（右偏廳北山牆）

山、樹（山景或象徵長壽）。

52d 壁畫（右偏廳北山牆）

芙蓉花（象徵榮華）。

52e 壁畫（右偏廳北山牆）

錦灰堆：如意、一冊頁(上書「明月松間照，清泉石上流」)、一書冊(上書「富貴全書」、「正堂筆」)（行書)、一些書法/文章的殘篇。

「明月松間照，清泉石上流」出自唐，王維(701—761)「山居秋暝」，原文：

「空山新雨後，天氣晚來秋。明月松間照，清泉石上流。竹喧歸浣女，蓮動下漁舟。隨意春芳歇，王孫自可留。」

釋文：描寫秋天雨後傍晚的景色。太陽下山後，在這無人的山中，晚上天氣寒冷。晚歸的浣女經過竹林，發出喧笑聲。捕魚的船隻開走了，蓮花也受搖晃。春天的香氣消失了，貴族子孫依然可以停留(李奎福，2009，66-67)。

描寫山居景色，一片悠閒，自得其樂。

錦灰堆：元朝畫家錢舜舉，曾以《錦灰堆》為題，繪畫一些吃剩的廢物，如雞毛、螃蟹夾子、蝦皮、蓮蓬等，後來文人雅士把幾篇零碎的文章，擱在一塊，也叫《錦灰堆》(吳玉崙，2002，161-162)。清朝的古建築喜用錦灰堆作壁畫裝飾，如廣西伏波廟(建於明清時期)和廣西玉林粵東會館(始建於清乾隆六十年(1795年)，都可見到以書本或殘章堆成的《錦灰堆》例子。

52f 壁畫（右偏廳北山牆）

瓜、壽石、芙蓉花（象徵福、壽、榮華）。

圖5-51：清暑軒閣樓右偏廳東簷牆壁畫

53a 壁畫（右偏廳東簷牆）

牡丹花（象徵富貴）。

53c 壁畫（右偏廳東簷牆）

菊花（象徵長壽）。

53b 壁畫（右偏廳東簷牆）

風景畫(象徵「海屋添壽」)。

53d 壁畫(右偏廳北隔斷牆/隔間牆)

三圓形果實、牡丹花、壽石（象徵「三元及第」、富貴）。

圖5-52：清暑軒閣樓左偏廳前迴廊南山牆及西簷牆壁畫

54a 壁畫（閣樓左偏廳前迴廊南山牆）

花卉、壽石。

54b 壁畫（閣樓左偏廳前迴廊西簷牆）

山、樹（山景或象徵長壽）。

54c 壁畫（閣樓左偏廳前迴廊西簷牆）

山、樹、小舟（山景或象徵長壽）。

54c 壁畫（閣樓左偏廳前迴廊西牆）

芙蓉花、壽石（象徵榮華）。

圖5-53：清暑軒閣樓右偏廳前迴廊西簷牆及北山牆壁畫

55a 壁畫(閣樓右偏廳前迴廊西簷牆)

山、水、樹 (山景或象徵長壽)。

55b 壁畫(閣樓右偏廳前迴廊西簷牆)

瓜(象徵多子)、壽石。

55c 壁畫(閣樓右偏廳前迴廊西簷牆)

山、水、樹 (象徵長壽)。

55d 壁畫(閣樓右偏廳前迴廊北山牆)

石榴(象徵多子)、壽石(象徵福壽)。

圖5-54：清暑軒閣樓閣樓右廂房

圖5-55：清暑軒閣樓閣樓右廂房西山牆博縫灰塑

56a

葡萄

56b

蓮花、蘆葦、卷草。

圖5-56A：清暑軒閣樓右廂房封簷板

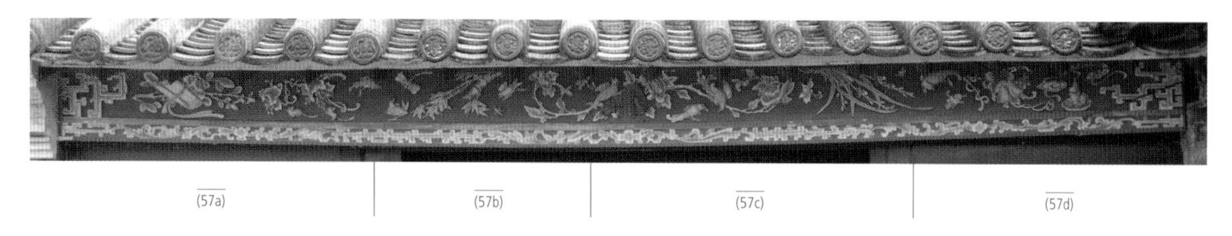

57a 封簷板（清暑軒閣樓右廂房）

一幅卷軸、山茶花(象徵福壽)；松鼠葡萄(象徵多子)、喜鵲。

圖5-56B：清暑軒閣樓右廂房封簷板

57b 封簷板（清暑軒閣樓右廂房）

蜻蜓(象徵清廷)、竹、二燕子(象徵「杏林春燕」)、蟈蟈(象徵官)(即希望能高中科舉，可以上朝廷當官)；牡丹花(象徵「富貴」)。

57c 封簷板（清暑軒閣樓右廂房）

蝴蝶、綬帶鳥、壽石、牡丹花、二綬帶鳥、蝴蝶、蘭花。

57d 封簷板（清暑軒閣樓右廂房）

綬帶鳥、蝴蝶、瓜、三腳蟾蜍吐祥雲、旭日(象徵「指日高升」/「青雲直上」)、博古(象徵福、祿、壽、財)。

圖5-57：清暑軒閣樓閣樓右廂房房門

58a 清暑軒閣樓右廂房門(房外)

58b 清暑軒閣樓右廂房門(房內)

頂板：蘭花；格心：十字龜背紋玻璃窗花；裙板：竹。

圖5-58：清暑軒閣樓右廂房房門上的橫披(房外)

59a 門額枋(閣樓右廂房門上)

博古、梅花、喜鵲(象徵「喜上眉梢」)。

59b 門額枋(閣樓右廂房門上)

博古、瓶內插海棠花、金錢(象徵「金玉滿堂」)。

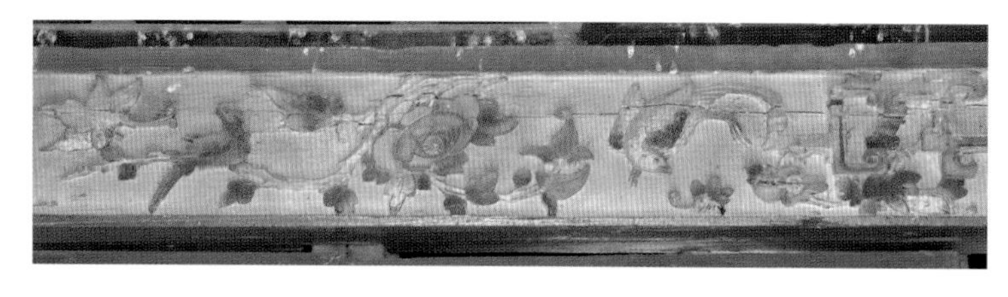

59c 門額枋(閣樓右廂房門上)

蝴蝶、綬帶鳥、牡丹花、綬帶鳥、蝴蝶、瓜、海棠花(象徵「福壽雙全」、「滿堂富貴」)。

59d 門額枋(閣樓右廂房門上)

博古、二福、壽字牌、如意、瓜(象徵福壽如意)。

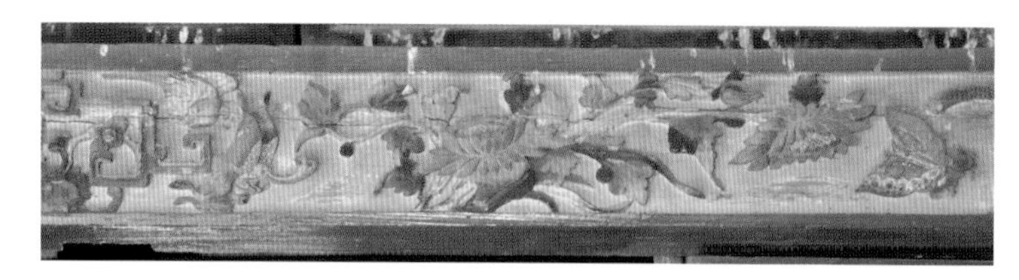

59e 門額枋(閣樓右廂房門上)

二蝴蝶、菊花、蝴蝶 (象徵長壽)。

59f 門額枋(閣樓右廂房門上)

博古、牡丹花、竹、蝴蝶、喜鵲、博古(象徵祝壽、富貴、喜)。

圖5-59：清暑軒閣樓右廂房前迴廊

60a 東迴廊門（閣樓右廂房前迴廊）

60b 西迴廊門（閣樓右廂房前迴廊）

圖5-60：清暑軒閣樓右廂房前迴廊及壁畫

61c 壁畫(閣樓右廂房前左隔斷牆/隔間牆)

高山流水、持杖人物、茅廬（象徵長壽）。

61d 壁畫(閣樓右廂房前右山牆)

山景、小舟、「携琴訪友」（象徵友情）。

圖5-61：清暑軒閣樓右廂房西山牆壁畫

62a 壁畫(閣樓右廂房西山牆)

山茶花、壽石 (象徵「春光長壽」)。

62b 壁畫(閣樓右廂房西山牆)

花卉、壽石。

62c 壁畫(閣樓右廂房西山牆)

瓜果、壽石 (象徵福壽)。

62d 壁畫(閣樓右廂房西山牆)

高山流水、「携琴訪友」(象徵友情)。

62e 壁畫(閣樓右廂房西山牆)

花卉、壽石。

圖5-62A：清暑軒閣樓右廂房北簷牆壁畫

63a 壁畫(閣樓廂房北簷牆)

一冊頁，上題字「一色杏花香十里，狀元歸去馬如飛」(行草)、花瓶內插牡丹花、二蝙蝠、另一幅冊頁。

題字改自蘇軾「一色杏花三十里」(寓意追求「功名富貴」、福祿)。

63b 壁畫(閣樓廂房北簷牆)

山、樹；菊花、壽石(象徵長壽)。

63c 壁畫 (閣樓廂房北牆)

山、水、茅廬，茅廬內有一人 (寓意「海屋添壽」或靜待友人到訪)。

圖5-62B：清暑軒閣樓右廂房北簷牆壁畫

63d 壁畫（閣樓廂房北簷牆）

桃花、竹（象徵祝壽）。

63e 壁畫（閣樓廂房北簷牆）

山、石（山景或象徵長壽）。

63f 壁畫（閣樓廂房北簷牆）

圖：如意、花瓶、牡丹花；

一幅冊頁上題字：「未出土時先有節，到凌雲處也無心。春日偶筆」（行書）。

出自宋・徐庭筠《咏竹》。原文：「不論臺閣與山林，愛爾豈惟千畝陰。未出土時先有節，便凌雲去也無心。葛陂始與龍俱化，嶰谷聊同鳳一吟。月朗風清良夜永，可憐王子獨知音。」（成乃丹，2004，355）。

描寫翠竹的虛心，正直，有氣節，以此訓勉族人。

圖5-63A：清暑軒閣樓右廂房東隔斷牆/隔間牆壁畫

圖5-63B：清暑軒閣樓右廂房東隔斷牆/隔間牆壁畫

64a 壁畫(閣樓廂房東隔斷牆/隔間牆)
壽石、樹。

64b 壁畫(閣樓廂房東隔斷牆/隔間牆)
老人持杖，童僕持琴(「攜琴訪友」，象徵友情)。

64c 壁畫(閣樓廂房東山牆)
瓜果、壽石(象徵福壽)。

64d 壁畫(閣樓廂房東隔斷牆/隔間牆)
花卉、壽石(象徵長壽)。

64e 壁畫(閣樓廂房東隔斷牆/隔間牆)
山茶花、壽石(象徵「春光長壽」)。

圖5-64：清暑軒閣樓右廂房南扇面牆壁畫

65a 壁畫(閣樓右廂房南牆)
高山、持杖人物(象徵長壽)。

65b 壁畫(閣樓右廂房隔斷牆/隔間牆)
可能是蘭花(不能辨識)。

參考書目

文懷沙(2005)：《屈原九歌今繹》，天津，百花文藝出版社。
王文誥(1982)：《蘇軾詩集第3冊》，北京，中華書局。
王西平(1991)：《道家攝生秘法》，蒙古，內蒙古人民出版社。
王其鈞(編)(2008)：《中國建築圖解詞典》，北京，機械工業出版社。
王效清(編)(2007)：《中國古建築術語詞典》，北京，文物出版社。
王建平(編)(2005)：《實用典故小辭典》，西安市，世界圖書出版西安公司。
王建偉、孫麗(2004)：《佛家法器》，天津，天津人民出版社。
王曙(2002)：《唐詩名句詳解詞典》，北京，北京工業大學出版社。
王延海(2000)：《詩經今注今譯》，石家莊，河北人民出版社。
王堯衢(2000)：《唐詩合解箋注》，河北，河北大學出版社。
王慶豐(1990)：《中國吉祥圖說》，遼寧，遼寧大學出版社。
尹奎友(1996)：《成語典故精選999》，山東，山東人民出版社。
丹明子(2005)：《論語的智慧》，蘭州市，甘肅文化出版社。
中國歷史大辭典纂委員會(2000)：《中國歷史大辭典》（上卷），上海，上海辭書出版社。
禾三千、吳喬(2006)：《道教天尊地仙吉神圖說》，哈爾濱，黑龍江美術出版社。
古物古蹟辦事處(2010)：《屏山文物徑》單張，香港，康樂及文化事務署。
朱紹侯(1997)：《中國歷代宰相傳略》，河南，大象出版社。
朱道初(2001)：《名詩裡的故事》，寧波，寧波出版社。
成乃丹(2004)：《歷代詠竹詩叢》，陝西，陝西人民出版社。
任昉(南朝/1987)：《述異記》，《文淵閣四庫全書》，第1047冊，上海，上海古籍出版社。
何士龍(1989)：《〈紅樓夢〉語言美鑑賞》，湖北，中國地質大學出版社。
呂友仁、呂詠梅(2009)：《禮記全譯；孝經全譯》，貴陽，貴州人民出版社。
全明詩編輯編纂委員會(1991)：《全明詩》第一冊，上海，上海古籍出版社。
全佛編輯部(2000)：《佛教的手印》，台北，全佛文化事業有限公司。
李乾朗(2003)：《台灣古建築圖解事典》，台北，遠流出版公司。
李蒼彥(1988)：《中國吉祥圖案》，北京，輕工業出版社。
李奎福(2009)：《曆代名詩三百首》，吉林，吉林人民出版社。
李光地(1987)：〈御定月令輯要〉，輯於《四庫全書》，上海，上海古籍出版社。
李昉(1959)：《太平御覽》，台北，新興書局。
余功保(2006)：《中國太極拳辭典》，北京，人民體育出版社。
汪灝、張逸少(清/1987)《御定佩文齋廣群芳譜(二)》卷五十，輯於《四庫全書》第846冊，上海，上海古籍出版社。
完顏紹元、郭永生(1997)：《中國吉祥圖像解說》，上海，上海書店出版社。
吳同賓、周亞勛(編)(2007)：《京劇知識詞典》，天津市，天津人民出版社。
金纓(1992)：《白話格言聯璧》，濟南，濟南出版社。
林會承(1995)：《傳統建築手冊》，台北，藝術家出版社會。
林尚智(2008)：《香港祠堂建築》，北京，北京大學考古文博學院本科生畢業論文。
洪淑苓(2000)：《大唐詩雋—柳宗元詩選》，台北，五南圖書出版有限公司。
香港政府新聞處(1979)：《香港鄉村古建築》，香港，香港政府新聞處。
苑士軍(1997)：《中華名將》（第二卷），北京，中國經濟出版社。
姚小鷗(2009)：《詩經譯注（下冊）》，北京，當代世界出版社。
高衛紅(2009)：《經典詩文解讀》，河南，中原農民出版社。
殷偉(2009)：《圖說門神》，合肥，安徽文藝出版社。
袁愈荌、唐莫堯(1996)：《詩經・上》，台北，台灣古籍出版有限公司。
陸耀東(1994)：《中國歷代愛國詩詞精品》，湖北，武漢大學出版社。

許仲琳(清/2003)：《封神演義圖詠》，北京，中國長安出版社。

野崎誠近(著)，古亭書屋(譯)(1927/2000)：《中國吉祥圖案》，台北，眾文圖書。

陶思炎(1998)：《中國鎮物》，台北，東大圖書股份有限公司。

梁思成(2006)：《清式營造則例》，北京，清華大學出版社。

梁章鉅(清/1996)：《楹聯叢話全編》，北京，北京出版社。

康鍩錫(2007)：《台灣古建築裝飾圖鑑》，台北，貓頭鷹出版。

康鍩錫(2004)：《台灣廟宇圖鑑》，台北，貓頭鷹出版。

陳貽焮(編)(2001)：《增訂註釋全唐詩》，北京，文化藝術出版社。

傅承洲(1995)：《花》，南京，江蘇古籍出版社。

程萬里(編)(1991)：《中國傳統建築》，香港，香港萬里書店及北京中國建築工業出版社。

黃壽祺(1996)：《楚辭》，台北，台灣古籍出版有限公司。

黃淼章(2006)：《陳家祠》，廣州，廣東人民出版社。

曾平琨(編)(清/1993)：《説唐全傳》，長沙，岳麓書社

喬繼堂(1990)：《中國吉祥物》，天津市，天津人民出版社。

張健 (1998)：《大唐詩仙：李白詩選》，北京，燕山出版社。

張式銘 (1995)：《李白杜甫詩全集》，北京，燕山出版社。

葉祖康(編)(1982)：《活的歷史》，香港，香港市政局出版。

路振平(2009)：《王羲之行書卷》，浙江，浙江人民美術出版社。

楊簾(2010)：《古文觀止通鑑上》，北京，華夏出版社。

楊慎初(2002)：《中國書院文化與建築》，武漢，湖北教育出版社。

趙書三(1997)：《趣詩佳話》，濟南市，黃河出版社。

趙杏根(2002)：《八仙故事源考》，北京，宗教文化出版社。

葛洪(1987)：《神仙傳：10卷》，上海，上海古籍出版社。

鄧聖時/屏子(1993)：《屏山古史初探》，香港，鄧聖時。

鄧聖時(1999)：《屏山鄧族千年史探索》，香港，鄧聖時。

劉月美(2002)：《中國京劇衣箱》，上海，上海辭書出版社。

劉爭義a(編)(1915/1990)：《戲考大全》，第一冊，上海，上海書店。

劉爭義b(編)(1915/1990)：《戲考大全》，第二冊，上海，上海書店。

劉逸生(1983)：《高啟詩選》，香港，三聯書店香港分店。

蔣崇無(2004)：《宋拓十七帖兩種王羲之》，杭州，西泠印社。

廣東民間工藝術學院博物館(1994)：《廣州陳氏書院文化研究》，廣州，中山大學出版社。

蔡義紅(2001)：《紅樓夢詩詞曲賦鑒賞》，北京，中華書局。

樓慶西(2011)：《雕樑畫棟》，北京，清華大學出版社。

薛汕(1985)：《花箋記》，北京，文化藝術出版社。

謝華(1984)：《羅浮山風物誌》，廣州，廣東旅出版社。

謝楚發(1996)：《李白的人生哲學》，台北，揚智文化事業股份有限公司。

聶文豪(2008)：《孟頫行書集字楹聯》，南昌，江西美術出版社。

藝生、文燦、李斌(1986)：《豫劇傳統劇目滙釋》，鄭州，黃河文藝出版社。

羅青(等著)，葛士良、林瑞康(編)(2003)：《京劇典故》，北京，文化藝術出版社。

蘇宰西(2006)：《唐詩六百首作法—插圖本》，甘肅，甘肅教育出版社。

蘇軾，楊家駱(編)(1964/1998)：《蘇東坡全集》（上冊），台北，世界書局。

Cranfield, I. (1997/2004). *Georgian house style*. Devon: David & Charles.

中華人民共和國國家文物局(17-2-2012)：《南沙發現百年「蒼龍教子」壁畫，作於道光丙午年》，瀏覽日期8-4-2012，http://www.sach.gov.cn:8080/www.sach.gov.cn/tabid/300/InfoID/31900/Default.aspx

鳴謝

黃啟裕先生

龍炳頤先生

林社鈴先生

李浩然博士

李翠蓮小姐

陳漢標先生

曾廣才先生

何大鈞先生

鄧昆池先生

鄧聖時先生

鄧廣賢先生

鄧火華先生

鄧則鳴先生

鄧美霞小姐

鄧品華先生

黃壽如先生

黃博錚先生

梁以華先生

陳香梅小姐

張梓柔小姐

鄧智俊先生

香港教育學院

香港屏山古建築裝飾圖鑑

作者	馬素梅
攝影	黃啟裕
	馬素梅(部分)
文字編輯	李翠蓮
建築繪圖	鄧智俊
研究助理	張梓柔、陳香梅
義務顧問	林社鈴

設計	漢設計
資助	香港藝術發展局
承印	富誠印刷國際有限公司
發行	香港聯合書刊物流有限公司

2014年12月第一版第一次印刷

ISBN 978-988-13571-0-6

香港藝術發展局全力支持藝術表達自由，本計劃內容並不反映本局意見。